Johanne **Raby**
Dre Françoise P. Chagnon

Chanter
de tout son corps

Pop •
Jazz •
Rock •
Blues •
Gospel •
Comédie musicale •

Catalogage avant publication de Bibliothèque et Archives Canada
   Raby, Johanne, 1951-
   Chanter de tout son corps
   ISBN 2-921416-59-X
   1. Chant - Méthodes. 2. Voix - Soins et hygiène. 3. Chant - Études et exercices. 4. Musique - Aspect physiologique.
5. Voies aériennes (anatomie). I. Chagnon, Françoise P., 1959- . II. Titre.

MT821.R1172004   783'.04   C2004-942188-3

Pour l'ensemble de nos activités d'édition,
nous reconnaissons avoir reçu l'aide financière du gouvernement du Canada (Programme d'aide
au Développement de l'Industrie de l'Édition et à la Chaîne du livre) et du Québec (Programme
d'aide aux entreprises du livre et à l'édition spécialisée, et programme de crédit d'impôt).

Édition : Aline Côté
Production : Johanne Dionne
Révision : Richard Lavallée et Gertrude Robitaille
Photo couverture : Olyvia Labbé, gagnante du concours Découverte 2004, Studio St-Henri à Ste-Foy
Couverture et dessins techniques : Martin Breton
Illustrations : Bruno Viau

Dépôts légaux : 1er trimestre 2005
Bibliothèque nationale du Québec et du Canada
Bibliothèque nationale de Paris
Ministère de l'intérieur de France

ISBN 2-921416-59-x

Canada : Diffusion Raffin, 29, rue Royal, Le Gardeur (Québec) Canada J5Z 4Z3
Téléphone : 450-585-9909 ; télécopie : 450-585-0066 Sans frais : 800-361-4293

France, Belgique : D.G. Diffusion Livres, rue Max Planck, C.P. 734, 31683 Labège Cedex France
Téléphone : 05-61-000-999 ; télécopie : 05-61-00-23-12

Suisse : Servidis, 2, rue l'Étraz, 1027 Lonay Suisse
Téléphone : (021) 803-26-26 ; télécopie : (021) 803-26-29

Imprimé au Canada
1 2 3 4 5 IT 2009 2008 2007 2006 2005

PRÉFACE

Q UE L'ON CHANTE DANS DES PETITES SALLES DE SPECTACLE ou dans des stades, chanter est toujours extrêmement exigeant au plan physique. Trop de gens croient que le talent, le privilège d'être bien entouré et la chance suffisent pour réussir dans ce métier. Il faut bien plus : il faut une bonne santé, un bon entraînement physique et, dans mon cas, une bonne préparation vocale. Je sais que de grands chanteurs ont une voix naturelle et une constitution qui leur permettent de chanter sans suivre de cours, mais je sais aussi que ce sont les chanteurs de pop, de rock, de jazz, de blues, de gos-pel, qu'ils soient amateurs ou professionnels, qui connaissent les plus nombreux et les plus graves problèmes de voix.

En ce sens, je suis très heureuse que D^{re} Chagnon, qui m'a déjà suivie et traitée, se soit associée à un professeur de chant d'ex-périence, Mme Raby, pour par-ler des interactions entre santé et voix et ainsi sensibiliser les chanteurs populaires à l'impor-tance de la santé physique et vocale. Tout cela est d'autant plus important qu'avec l'en-gouement pour les concours fortement médiatisés des der-nières années, plusieurs jeunes rêvent d'une carrière profes-sionnelle sans être conscients que la discipline est première dans ce métier.

Il m'est arrivé de parler de ma discipline de vie, mais plus ra-rement de mon travail vocal, parce que ça n'intéresse géné-ralement que le public plus spécialisé des professionnels de la voix. Dans ce livre, je tiens à le faire, parce que je sais combien il est difficile pour un jeune chanteur de faire face à toutes les situations qui se pré-sentent sur son chemin, je sais à quel point le travail vocal est indispensable pour donner la meilleure performance possible, soir après soir, mais aussi et surtout pour espérer durer dans ce métier où la compétition est forte. J'ai un autre motif pour être disciplinée : j'ai besoin de ressentir qu'à chaque enregistrement, à chaque show, j'ai mérité la confiance et l'amour de ceux qui prennent la peine d'acheter mes chansons ou de venir m'entendre.

On aura beau se préparer au mieux de ses capacités, les conditions ambiantes influeront toujours sur la performance, les émotions fragiliseront toujours la voix, les stress et les fatigues diminueront toujours la puissance vocale. Pour pouvoir les dépasser, il faut entrer en scène en sachant qu'on peut au moins compter sur une solide mise en forme physique, des muscles vocaux entraînés et un bon réchauffement de la voix. Chanter est chaque fois un exploit.

J'espère que ceux qui veulent renouveler ces exploits le plus longtemps possible sauront aussi mettre à profit tous les témoignages généreusement offerts dans ce livre pour se donner le courage de faire les changements nécessaires, que ce soit d'arrêter de fumer, de faire silence ou de s'accorder plus de sommeil. J'espère qu'ils verront leurs cordes vocales comme une ressource naturelle à protéger.

Céline

Céline Dion

Pourquoi chanter de tout son corps ? Parce que chanter de tout son cœur ne suffit pas toujours : l'instrument qu'est le corps doit être au rendez-vous. Parce que trop souvent, on se contente d'exercices vocaux sans prendre conscience que c'est tout le corps qui chante. Parce que rien ne guide mieux le chanteur que sa capacité à ressentir par lui-même ce qui résonne en lui. Parce que l'émotion qui caractérise le chant pop doit traverser tout le corps sans en inhiber l'expression. Parce qu'au-delà de la mécanique du souffle, de la physique de la résonance et de l'anatomie d'un son, il y a toutes les consciences de son corps à soi, où s'inscrivent ses expériences à soi, pour créer son « son » à soi.

L'amour du chant conduit parfois à une telle passion pour le développement de nouvelles voix que jamais ne s'éteint le désir d'en savoir davantage, d'intégrer les recherches les plus récentes, d'expérimenter de nouvelles avenues. Comme laryngologiste spécialisée dans la voix professionnelle et comme professeur de chant, nous partagions ce besoin profond de déconstruire les idées reçues et de promouvoir la compréhension des bases de tout métier qui requiert une importante utilisation de la voix parlée et chantée. Ce que nous apportons ici, ce sont les convictions profondes issues de nos expériences avec les chanteurs et tous ceux dont le métier repose sur la voix.

Ce livre est une première. D'abord parce qu'il s'adresse directement à ceux qui œuvrent dans le chant populaire, que l'Europe francophone désigne par l'expression « chant de variétés ». Ce n'est pas un livre scientifique, bien qu'il soit nécessaire de donner quelques notions d'anatomie, de physiologie et d'acoustique. Ce n'est pas non plus un livre d'apprentissage du chant, bien qu'il soit incontournable de faire comprendre ce qui rend une voix unique et une performance juste. En fait, tout a été orchestré pour faire prendre conscience de l'hygiène de vie et de voix indispensables à tout chanteur déterminé à donner le meilleur de lui-même le plus longtemps possible.

En ce sens, ce livre est aussi une première, car nous n'aurions pu sensibiliser de jeunes chanteurs à une chose aussi peu fantaisiste et amusante que la discipline, sans la contribution inestimable des artistes qui ont généreusement partagé leurs expériences avec nous. Plus que tout autre information, leurs témoignages sauront susciter les prises de conscience que nous souhaitons. Ces artistes sont la preuve vivante que sans une passion dévorante pour son métier, sans une forme physique exemplaire et sans une bonne santé de la voix, il n'y a pas de carrière qui vive.

Qu'il nous soit donc permis de remercier très chaleureusement Marie Michèle Desrosiers, Steeve Diamond, Luce Dufault, Lulu Hughes, Laurence Jalbert, Daniel Lavoie, Ariane Moffatt, Bruno Pelletier et Nanette Workman, qui ont su assurer le niveau et la constance de leurs performances grâce à une bonne compréhension de leur corps.

Enfin, un merci tout particulier à Céline Dion, d'abord pour sa contribution à ce livre, bien sûr, mais aussi pour l'exemple qu'elle donne jour après jour depuis plus de vingt ans à tous les jeunes chanteurs, celui de l'application — en chant populaire — d'une discipline comparable à celle des plus grands chanteurs d'opéra.

Dre Françoise P. Chagnon

Johanne Raby

TABLE DES MATIÈRES

CHAPITRE 1

AI-JE L'ÉTOFFE D'UN CHANTEUR ?

TOUT LE MONDE PEUT CHANTER ET TOUT LE MONDE DEvrait chanter. C'est le meilleur moyen d'être en harmonie avec soi-même et avec les autres. D'ailleurs, depuis toujours, les tribus et les groupes sociaux ont marqué les grands événements de la vie par des chants où tous participaient. Encore aujourd'hui, il y a des communautés où le chant en groupe représente une forme de communication très importante ; pensons, par exemple, au gospel, qui a d'abord été l'expression privilégiée des Afro-américains avant de devenir populaire dans toute la culture

« Quand j'ai commencé à chanter, je n'avais aucune conscience de quoi que ce soit en ce qui a trait à la technique vocale car, pour moi, chanter c'était quelque chose qu'on fait naturellement. J'ai commencé comme musicien, dans des groupes, et comme accompagnateur pour de jeunes chanteurs. Je n'étais donc pas chanteur. Graduellement, j'ai composé des chansons. Mon but était évidemment de les faire chanter par d'autres, mais ce n'est pas toujours facile quand on commence. C'est donc moi qui les ai chantées et c'est ainsi que je suis devenu chanteur. »

Daniel Lavoie

« À 16 ans, j'ai été subjuguée par l'auteure-compositeure Tori Amos, par la globalité de l'artiste, et c'est alors que j'ai eu le goût de créer des atmosphères et de faire ce métier. Il faut être humble face à la musique et à ses rêves. Il faut les voir comme quelque chose de grand. Si on est chanceux, si on a une belle voix, un beau timbre, un talent, on est déjà choyé ! Comme dans la pratique d'une discipline sportive, il faut travailler fort et être fort pour y arriver. Surtout, il ne faut pas penser que, si ça ne réussit pas, sa vie est ratée. Il faut s'investir et savoir prendre du recul. Il faut vraiment croire en soi et en son rêve ! »

Ariane Moffatt

occidentale. Pensons aux chorales qui se répandent partout dans les villes, les villages et les entreprises, en Europe comme en Amérique, et qui s'improvisent sur les places publiques à Paris ou en province.

Mais suffit-il de pouvoir chanter pour chanter sur une base professionnelle ? Tous ceux qui veulent chanter peuvent-ils devenir chanteur ? Ceux qui savent chanter réussissent-ils toujours à faire carrière ? Quelle sorte de personnalité faut-il pour faire ce métier ? Voilà autant de sujets auxquels doit réfléchir celui ou celle qui envisage la carrière de chanteur.

AVOIR OU ÊTRE UNE VOIX

Chacun sait reconnaître ces voix « naturelles », parlées ou chantées, dont on perçoit immédiatement l'harmonie ou la dysharmonie sans pouvoir dire ce qui en fait l'essence. Certaines nous bercent et d'autres nous agressent. Il y a des voix qui nous déstabilisent par leur étrangeté ou qui nous ensorcellent par leurs accents de velours. D'autres, enfin, nous touchent si profondément qu'on en est bouleversé. Ce ne sont pas nécessairement les mêmes voix qui produisent les mêmes effets chez tous et chacun. En fait, chacun réagit selon les associations sonores effectuées depuis qu'il est au monde et selon les intentions qu'il devine ou les compréhensions qu'il croit reconnaître derrière les intonations.

Ce n'est pas un hasard si on distingue les chanteurs à voix des autres chanteurs. Pourtant, on reconnaît aux deux groupes le statut de chanteur. Cette distinction révèle des sensibilités artistiques différentes chez les artistes et dans le public, mais signale du même coup que la beauté de la voix ne prime pas dans la réussite d'un chanteur. D'ailleurs, combien de chanteurs n'ont-ils pas d'abord été poètes ? Combien d'auteurs-compositeurs sont-ils devenus chanteurs par défaut, par accident, faute de chanteurs pour interpréter leurs chansons ?

Le chant est l'expression de l'être ; c'est pratiquement devenu un lieu commun que de l'affirmer, mais encore faut-il être une voix, encore faut-il apporter au public une part d'originalité, un sens nouveau, une sensibilité nouvelle. Ce que chacun sait sans qu'il soit besoin de le démontrer, c'est que ce sens, cette originalité, cette sensibilité sera portée par la voix, quelle qu'elle soit.

Qui peut prédire qui réussira ou non ? Bien des producteurs, des gérants ou des éditeurs de musique voudraient connaître ce secret. Plusieurs ont misé sur une voix, un « son » qui n'a pas marché, ou pas longtemps. Ceux qui ont ce talent particulier, ce flair, l'ont souvent développé après quelques échecs.

« En début de carrière, si on est chanceux, on a plusieurs représentations au même endroit, mais le plus souvent on est en déplacement : on change de scène et d'acoustique à chaque soir ; c'est parfois à l'extérieur, parfois à l'intérieur ; les conditions environnementales varient constamment : c'est parfois pollué, parfois climatisé, parfois la chaleur est insupportable ; et toujours on doit s'adapter et faire en sorte que notre voix puisse être à son maximum. Chanter, c'est physique, et tout ce qui entoure la vie du chanteur sollicite son physique sans arrêt. Ça demande une très grande discipline. »

Céline Dion

« Chanter demande beaucoup de discipline. C'est un métier de sacrifices qui exige une personnalité développée, une conscience de soi ainsi qu'une grande force de caractère, ce que peu savent démontrer. Il faut être fort psychologiquement dans ce métier, incroyablement fort ! Les jeunes n'ont aucune idée à quel point. Et pourtant, je ne peux concevoir ma vie sans chanter. Je sais que si je m'arrête, je m'éteins, je meurs. Je préfère la difficulté de le faire que de ne pas le faire. »

Lulu Hughes

La chose se décide entre un public et un artiste, mais elle est de conséquence. En effet, rien ne doit être laissé à la chance — même si la chance joue souvent —, car que reconnaît le public sinon une certaine qualité d'être ? Et comment pourra-t-il y avoir accès si au moindre écueil l'artiste abandonne ?

On fait donc ici le chemin à rebours et, plutôt que de se demander qui va réussir, on regarde qui a réussi, comment ils parlent de leur réussite, et qui a dépassé le stade de l'étoile filante pour durer dans le métier. Bref, on tente de réduire la part de mystère derrière toute réussite artistique.

« Beaucoup de choses m'ont été proposées quand j'avais tout juste 16 ans et, par bonheur, j'ai refusé. C'est facile de dire oui... Il y a beaucoup de gens dans le milieu qui profitent des talents des autres pour s'enrichir. Il faut savoir dire non. J'aurais déjà pu enregistrer un album avec des producteurs très connus à l'époque, mais l'album ne m'aurait pas du tout ressemblé. Pire, il aurait nui à mon cheminement et aurait contribué à me cataloguer dans un style ou une niche qui n'aurait pas ressemblé à ce que je suis devenue. Quand on a un rêve et qu'on voit sa carrière d'une certaine façon, il faut s'y accrocher. »

Luce Dufault

« Selon moi, personne ne peut travailler à ce point pour se trouver et trouver sa voix, et accepter ensuite de devenir un objet manipulé. Au début, on m'a traité de folle parce que j'ai refusé de me laisser transformer en star par l'industrie. Certains m'ont même dit que j'avais perdu ma chance, mais c'était faux, puisque, à chanter et à jouer ma musique dans les bars, je continuais à acquérir de l'expérience et à apprendre. Chose certaine, je n'ai jamais fait ce métier pour l'argent ni pour la reconnaissance. »

Laurence Jalbert

« Le comportement des compagnies de disques et des producteurs peut faire en sorte qu'il devient impossible, ou de garder son humilité, tellement on se fait dire qu'on est beau et bon, ou de sombrer dans la paranoïa, tellement les portes se ferment pour ceux qui ne font pas de compromis. Il y aura toujours des gens qui diront non. Que faire devant tous ces « non » ? Continuer. Ne pas se laisser arrêter. Quel qu'en soit le nombre, il faut continuer : continuer de croire en soi et de s'entourer des bonnes personnes. Un jour, il y aura un « oui », et ce oui vaudra les trois cents « non » qui l'auront précédé. »

Lulu Hughes

ÊTRE SOI-MÊME

Pour être une voix, il faut d'abord être unique. Et comment être unique sinon en étant soi-même ? Il n'est pas rare que le goût de chanter s'éveille dans l'enfance ou l'adolescence à cause de l'admiration qu'on éprouve pour un chanteur. C'est pourquoi le développement d'une carrière, d'amateur ou professionnelle, commence souvent pour l'interprète, par l'imitation ou l'accompagnement d'autres chanteurs comme choriste, et pour l'auteur-compositeur, par l'interprétation. Toutefois, c'est en trouvant sa voix que l'on se met au monde comme artiste. Trouver sa voix, c'est savoir qui on est, qu'est-ce qu'on a à dire, comment on veut le dire, quel style créer pour traduire cet ensemble. Et plus on trouve son « son », plus on est reconnu comme différent, ou tout simplement reconnu.

Tout cela ressemble à une belle aventure avec soi-même et exige une grande écoute de soi, une ouverture à l'expérience et une capacité certaine à accepter les changements pour pouvoir évoluer. Mais cet ego à la fois fort et souple, qui sait remettre en question les acquis, rejeter le déjà fait et oser l'inédit, doit subir l'épreuve de la critique. C'est l'étape la plus difficile de la naissance d'une personnalité artistique.

Les chanteurs sont unanimes sur un point : la jalousie est grande dans le métier, la compétition est forte, et résister à l'assaut de la critique a été un point tournant dans leur maturation artistique. Tout peut être dit et tout a été dit des chanteurs à un moment ou un autre : quand votre timbre n'est pas trop nasillard, on vous reproche votre filet de voix ; on se plaint de votre vibrato trop marqué quand ce n'est pas de son absence ; on soupçonne une vie dissolue derrière votre voix rauque ; quand la voix est au rendez-vous, on accepte mal votre migration vers un nouveau répertoire. Tout a été dit et tout sera dit. Il faut donc se le tenir pour dit. Et passer à autre chose. À l'écoute de soi, à l'entraînement de sa voix, par exemple. La première loyauté d'un artiste est envers son art.

« Le métier est difficile, mais j'ai été chanceuse. À mes débuts, j'ai beaucoup travaillé et souvent mangé du beurre d'arachide, mais j'ai des amis qui m'ont aidée. J'étais jeune alors et je ne me rendais pas compte que je vivais dans la pauvreté. Ce n'était tout de même pas la grande misère, car j'en garde de bons souvenirs. »

Luce Dufault

« En fait, je travaille toujours en groupe avec mes musiciens. J'ai toujours voulu avoir mes musiciens à moi. Plus jeune, j'avais un groupe qui s'appelait Broken Toys. Nous sommes partis dans l'Ouest canadien dans une fourgonnette qui avait seulement deux sièges, nous étions assis sur des matelas, nous étions pauvres. Nous avons eu beaucoup de plaisir ! »

Nanette Workman

Si on a l'impression d'être chanteur depuis toujours, de n'avoir jamais rien voulu d'autre dans la vie ou de ne pouvoir vivre sans chanter, bref si on a une identification si forte à la profession qu'on croit pouvoir tout endurer, alors on a ce qu'il faut pour faire carrière. L'étoffe de l'artiste ne tient pas au rêve qu'il entretient, mais à la réalité du métier qu'il est prêt à embrasser coûte que coûte, et que d'aucuns appellent la passion. C'est cette passion qui permet au chanteur d'essuyer des refus et de persister dans son estime de lui-même, dans sa confiance en soi et la foi en son art.

Dans cette conjoncture, la personnalité joue un rôle important, bien sûr. Il est certainement préférable que le chanteur ait un rythme de travail et une personnalité qui s'accorde avec les exigences de l'industrie, mais c'est son engagement dans la profession qui le démarquera et assurera une longévité à sa carrière.

Le métier d'artiste se distingue de tous les autres métiers en ce que l'artiste est lui-même le matériau dont est fait son art. En ce sens, il est essentiel que le jeune auteur-compositeur ou interprète garde le cap sur

« On se leurre souvent sur les côtés « glamour » de la vie des vedettes de stature internationale. Avec les musiciens, les producteurs, les metteurs en scène et les danseurs de haut niveau vient aussi l'exigence de performances impeccables jour après jour, la nécessité d'apprendre constamment de nouvelles choses, que ce soit une nouvelle langue ou de nouveaux pas de danse, sans compter le dépassement des contrariétés de tous les jours. Les gens croient qu'on a du plaisir à voyager, mais en fait, on ne jouit pas des Rome, Londres et Paris en touriste ; on doit rester concentré comme si c'étaient les Olympiques à chaque soir. Tout cela exige une grande force de caractère et de la persévérance. Moi je suis très compétitive, il le faut pour réussir dans ce métier, mais c'est avec moi-même que je compétitionne. Ce que j'aurais le goût de dire aux jeunes qui se lancent dans le métier de chanteur, c'est que chaque étape d'une carrière comporte une part de privilèges, de gratifications, de sacrifices personnels et d'occasions de grandir. Rien n'est jamais acquis. Si on ressent profondément le besoin de donner le meilleur de nous-même au public qui nous aime et nous encourage, on aura toujours le courage de ne jamais le décevoir. »

Céline Dion

« Pour faire ce métier, il faut aimer les gens, il faut aimer son public. Il faut le respecter, lui accorder du temps, de l'attention : c'est grâce à eux qu'on est là ! Il y a bien des artistes qui jouent à la star et qui ne veulent pas donner d'autographes. Ça ne me ressemble pas ; moi, j'aime mes fans, j'aime parler avec eux. Je suis consciente que je suis un personnage public. »

Nanette Workman

son « son ». À défaut d'être imperméable à la critique, il doit prendre les moyens de ne pas se laisser influencer. Il n'est pas nécessaire de tout entendre et de traverser des angoisses existentielles pour réussir à rester soi-même envers et contre tous.

On peut aussi doser la part de critiques qu'on peut tolérer sans succomber aux influences. Plusieurs chanteurs se refusent à lire les critiques ou les font filtrer par leur entourage afin de ne recevoir que ce qui est utile à la maturation de leur art et à la construction de leur carrière. Cette attitude est saine et permet à l'artiste de se soustraire aux tendances passagères et de se concentrer sur sa recherche vocale et musicale. Il y va de sa loyauté envers lui-même. Apprendre à se connaître, c'est aussi apprendre à protéger sa sensibilité.

Par ailleurs, il ne faut pas négliger la part que jouent les difficultés et les conflits intérieurs dans la construction de la personnalité artistique. Une fois dépassés, ils engendrent une force intérieure, une résilience et une puissance dramatique qui ne peut que servir l'intensité de la prestation. Il est bon de développer sa patience et sa capacité à focaliser sur son chant, tout en acceptant les aspects de la vie sociale et professionnelle associés au métier de chanteur. La plupart des chanteurs diraient, à ce sujet, qu'ils faut apprendre à jouer le jeu. Jouer le jeu, c'est comprendre le fonctionnement de l'industrie, savoir tirer son épingle du jeu, faire les efforts voulus, tout en conservant son intégrité et son équilibre. Jouer le jeu, c'est se rappeler à chaque instant qu'on chante pour communiquer, pour se partager avec son public. Le respect des gens à qui on doit sa carrière est une grande source de motivation à l'excellence. C'est dans l'échange avec son public que l'artiste arrive à trouver ses encouragements, la force de poursuivre et l'humilité dans le succès.

ÊTRE AUTONOME ET RESPONSABLE

Ceux qui réussissent à faire une profession sérieuse du chant ont pris le chant au sérieux. Ils se sont définis comme responsables de leur réussite, ils ont choisi de ne s'en remettre qu'à eux-mêmes, ils ont accepté de se remettre en question, ils se sont donné la discipline de vie et la discipline vocale nécessaires. Ayant pris conscience

« Si les chanteurs sont sérieux, ils doivent accorder une très grande importance à la formation. S'ils souhaitent seulement devenir des stars, ils doivent être conscients que cela ne dure pas longtemps. Un chanteur complet doit savoir lire la musique pour que, dans les périodes où la chanson ne fonctionne pas, il puisse enseigner, accompagner ou composer. Uniquement chanter est insuffisant. Surtout, il ne faut pas perdre patience, ni se décourager. On ne fait pas de la musique pour faire de l'argent, on le fait par passion et par amour du métier. Sinon, il faut faire autre chose. »

Nanette Workman

« Je me réserve toujours au moins une heure avant un spectacle où je peux me préparer en silence dans une loge. Pendant cette période, je ne veux en aucun cas être dérangée pour ne pas briser ma concentration ni perdre le sentiment d'être en contrôle ; je me concentre sur le contenu des chansons. Ce métier est sérieux. Un chanteur bien préparé atteint directement le cœur des spectateurs par sa voix, par ce qu'il réussit à dégager, à obtenir et à donner. »

Laurence Jalbert

« L'important pour un jeune chanteur, c'est de trouver sa couleur, sa spécificité, et de préserver sa créativité propre. Les chanteurs sont tous différents : chacun a sa sensibilité, son corps, ses souvenirs, ses douleurs, son âge. Ce qui importe, c'est la discipline, la persévérance, le courage et l'introspection, et ce, tout au long de sa carrière. Actuellement, les jeunes artistes sont plus conscients des exigences du métier et savent qu'il faut vraiment le prendre sérieusement. L'essentiel est d'abord de se faire confiance. S'ils ont vraiment la flamme, ils doivent faire confiance à leur instinct et à leur sensibilité. S'ils se sentent frustrés, si la pression est trop forte et si on veut les mener là où ils ne se sentent pas eux-mêmes, ils ne devraient pas y aller. »

Marie Michèle Desrosiers

« Pour être franche, je suis quand même assez fragile ; par exemple, l'air climatisé des avions me tue. Mais ce n'est pas toujours la faute du gérant si on doit voyager trop souvent, ce sont les exigences du métier ; quand René me demande quelque chose qu'il sait difficile pour moi, c'est qu'il a épuisé toutes les autres options. Les chanteurs en font beaucoup de choses comme ça. C'est pourquoi on ne peut pas toujours chanter à son meilleur. Mais je suis fière de pouvoir dire que, chaque fois que j'ai chanté, j'ai toujours donné le meilleur de ce que que je pouvais donner à ce moment-là. »

Céline Dion

que leur corps est leur instrument, ils ont su ajuster leur préparation physique et vocale aux événements de la vie et s'entourer des gens capables de les soutenir aux différentes étapes de leur évolution.

On dit souvent des chanteurs dont la carrière s'arrête trop tôt que le cœur n'y est plus, que la vision à long terme n'y est pas, que la détermination fait défaut. Bien sûr, certains sont mal entourés, mais qui choisit son entourage sinon l'artiste ? Changer d'entourage est sans doute ce qui est le plus courageux à faire, et plusieurs chanteurs l'ont fait quand c'est devenu indispensable pour continuer de vivre leur art à la mesure de leurs aspirations.

Tout jeune chanteur doit être conscient qu'il se lance dans une carrière qui a ses règles propres : il n'y a pas de salariat, il est sa propre entreprise, il est son propre produit. À ce titre, il doit voir à la gestion d'un ensemble de situations et de ressources entourant la prestation. Sans les qualités d'autonomie et d'entrepreneurship qui lui permettent de conduire sa carrière, un chanteur pourrait vite se décourager.

Tout au long de la vie, le chanteur doit pouvoir exercer la responsabilité qui accompagne cette indispensable autonomie. Il faut parfois commencer tout jeune à combattre les idées reçues, ne serait-ce que pour convaince des parents qui doutent

des perspectives d'avenir d'un tel métier. Viennent ensuite les premiers environnements de la carrière, qui ne sont pas toujours motivants. Les petites salles enfumées, les bars où personne n'écoute vraiment, les trajets en autocars, le transport des instruments de musique et du système d'amplification, les heures tardives, les répétitions. D'ailleurs, la plupart des chanteurs se rappellent avec nostalgie leurs années de pauvreté, cette période d'ignorance ou d'inconscience où ils se sont lancés à corps perdu dans le métier sans souci des conséquences, pour le seul plaisir de chanter.

Pour l'auteur-compositeur interprète, le chemin est souvent plus long et plus ardu encore. Il doit avoir du matériel inédit et l'imposer lors de tournées régionales avant de s'attaquer aux métropoles.

Un peu plus tard, le succès aidant, ils ont eu à écrire leurs communiqués de presse, à préparer leurs affiches promotionnelles, à négocier avec les diffuseurs, à réserver les salles de spectacles, à payer la publicité, à auditionner des musiciens. Avec les cachets élevés des musiciens, même avec des salles combles, souvent il ne reste rien pour le chanteur lui-même. S'il faut traverser l'Atlantique pour aller faire une tournée au Québec ou en Europe, les billets d'avion rendent pratiquement l'opération déficitaire, si bien que les tournées finissent souvent par ne servir que des objectifs promotionnels. Bref, faire du spectacle, c'est d'abord et avant tout gérer une entreprise ; c'est pour ça qu'on l'appelle le « *showbusiness* »

Un jour ou l'autre, le chanteur sera invité à faire la première partie du spectacle d'un chanteur connu. Or, le public n'est pas toujours prêt à accepter la nouveauté qu'on lui présente. Un auditoire d'intellectuels exigeants verra d'un mauvais œil des textes moins engagés, un auditoire venu entendre des balades recevra froidement un style plus urbain. La plupart du temps, il est simplement déçu de ne pas entendre davantage la vedette pour laquelle il s'est déplacé. Il ne faut donc

« Les concours de chant, c'est génial, surtout qu'ils sont de mieux en mieux encadrés. Je pense, entre autres, au festival de Granby, mais aussi à celui de Petite Vallée, où des chanteurs professionnels tels Louise Forestier, Michel Rivard, Richard Séguin et Luc de la Rochelière enseignent le métier. Ils ont réussi une belle carrière et en sont fiers. Peut-on rêver de meilleurs professeurs ? La présence de profs de chant, de théâtre et d'écriture en plus des musiciens professionnels démontre le sérieux de l'aide offerte aux jeunes. Ce ne sont ni fausses promesses ni magouilles. »

Luce Dufault

compter que sur soi-même, donner sa pleine mesure et s'entêter à séduire ce nouveau public. Malgré tout, la formule de la vedette américaine est une des plus belles formes de soutien de la relève, car elle lui permet de faire l'expérience de grandes scènes. Elle doit coûte que coûte être encouragée, par les producteurs et le public.

ÊTRE CHANTEUR OU STAR

Quelles que soient les occasions de faire connaître ses qualités d'auteur-compositeur ou d'interprète, la question est de savoir pourquoi on le fait : est-ce pour se donner une chance de faire carrière en chant ou par attrait pour le vedettariat ?

Les concours ne sont pas bons ou mauvais en soi. La plupart des concours régionaux ou nationaux sont de bonnes occasions d'être repérés par des producteurs à la recherche de nouveaux talents. Tels Linda Lemay, Isabelle Boulay et Luc de Larochellière, plusieurs chanteurs ont ainsi pu démarrer leur carrière.

Toutefois, pour que l'expérience des concours soit vraiment formatrice et pour ne pas en sortir amer ou démotivé, il faut les considérer comme une façon de se mesurer aux autres chanteurs qui cherchent à faire carrière et y participer en gardant les yeux ouverts. Les grands concours internationaux, comme Eurovision, ont fait leurs preuves ;

« Si un chanteur a chanté longtemps dans des bars et des petites salles et qu'il se retrouve avec une carrière qui démarre en grand grâce à Star Académie, pourquoi pas ? Par contre, je m'inquièterais pour celui qui n'a aucune expérience, qui devient le centre d'attention de tout le pays pendant quelques semaines, et pour qui tout s'arrête du jour au lendemain. Tous les artistes sont « insécures », et le succès est bien éphémère. Le danger, c'est que ce jeune chanteur passe pour un perdant, ce qui affectera son estime de soi et, s'il veut faire carrière, qu'il soit boudé par les artistes qui ont travaillé fort toute leur vie pour réussir. »

Steeve Diamond

« Je crois que les concours télévisés, comme Star Académie, peuvent aider certains créateurs. Si le jeune artiste a du talent et qu'il est fort, il pourra passer au travers. On crée ainsi des petites étoiles filantes, mais il y en a probablement quelques-unes qui auront la chance de se démarquer et de durer. »

Marie Michèle Desrosiers

« Je doute que les émissions du genre Star Académie aient pour but de donner une chance aux jeunes artistes. Les derniers gagnants prendront vite la place des précédents. En France, on ne se souvient même pas du nom des premiers gagnants, et c'est triste. Ce n'est pas parce qu'ils n'ont pas de talent, c'est plutôt parce qu'on les remplace trop rapidement.

Il est vrai que ce concept permet de découvrir de nouveaux talents, mais en prend-on suffisamment soin ? Ces émissions sont loin du parcours habituel d'un chanteur. Selon moi, il y a danger de devenir blasé et, en ce sens, je doute que ça forge un jeune chanteur pour l'avenir. »

Luce Dufault

on y engage des professionnels réputés pour évaluer les candidatures et participer aux jurys. Toutefois, dans certains concours, le choix des membres du jury est questionnable, et le candidat serait prudent de s'informer sur l'identité des juges, surtout au début des auditions. Le chanteur doit être conscient que, malgré les sommes et les efforts investis, il peut, en fin de parcours, se faire dire des banalités ou des insignifiances.

Parfois, on demande à un candidat de se présenter dans une catégorie autre que celle dans laquelle il s'est inscrit. Souvent, ce sont des raisons internes à la gestion du concours qui fondent cette requête : assurer un nombre suffisant de participants dans chaque catégorie, équilibrer le spectacle de la finale, etc. Il arrive aussi que le directeur musical choisit une tonalité qui ne permet pas au chanteur d'être à son meilleur, ou des arrangements qui ne rendent pas justice au style de l'interprète ou de l'auteur-compositeur. Le candidat devrait insister pour conserver sa catégorie ou se rapprocher de son « son ».

On ne peut parler de concours sans aborder la délicate question des concours télévisés de type Ma Nouvelle Star, Star Académie, American ou Canadian Idol, dont la formule emprunte à la fois au concours de chant et à la télé-réalité. Les concours télévisés d'envergure nationale existent depuis longtemps et reçoivent toujours de la part du public une réponse aussi favorable qu'enthousiaste. Quelles que soient les réserves qu'on entretienne, il est impossible d'empêcher des jeunes de tenter leur chance dans de tels concours, et ce, d'autant plus qu'ils y reçoivent des formations de professionnels du métier.

Toutefois, en tant que laryngologue et professeur de chant, il est de notre devoir de faire une mise en garde. Entre 18 et 23 ans, la voix n'a pas atteint sa maturité et n'est pas prête à subir un très grand stress. Or, dans ces émissions, les jeunes sont critiqués publiquement, doivent apprendre les chansons dans des laps de temps très courts, chantent dans une quantité impressionnante de spectacles, dans de très grandes salles, et à

« Je pensais que j'allais réussir du premier coup ; en général, je suis assez rapide dans la vie. Pourtant, c'est dans ma plus grande passion, celle d'auteure-compositeure, que j'ai été le plus confrontée à la patience. Cela a été de loin mon parcours le plus complexe. La musique ne se brusque pas. Développer une patience intérieure, ne pas s'attacher au temps, ne pas voir son parcours comme quelque chose de linéaire, travailler fort pour se rendre au sommet et y rester, voilà ce que je conseille. »

Ariane Moffatt

« Il ne faut surtout pas oublier qu'un chanteur gagne rarement sa vie au Québec avec les seuls spectacles. On peut vivre de la chanson si on vend des disques, si on écrit et compose. En fait, la meilleure école, c'est encore de faire servir son talent à divers projets : écrire pour d'autres, chanter en chœur, faire de la publicité. Ce sont des disciplines différentes, ce qui nous habitue à aller droit au but, à saisir l'essence d'un projet, à analyser ce qui doit être mis en relief, à sentir rapidement l'atmosphère à créer. C'est une discipline de travail qui nous apprend à développer de l'ouverture, à accepter la critique et à se défaire de l'orgueil. »

Marie Michèle Desrosiers

« Si un jeune veut devenir un auteur-compositeur, il se doit d'avoir une base musicale. Cet apprentissage lui permettra de travailler une mélodie, en sachant ce qu'il fait et en sachant se retrouver dans telle gamme ou dans telle tonalité. Ainsi, il connaîtra exactement tous les passages et toutes les limites de ce qu'il peut exploiter. Cela lui donnera plus de liberté et de possibilités ainsi que la confiance nécessaire pour échanger des idées avec les musiciens, les comprendre et se faire comprendre. Bref, il pourra leur expliquer émotivement et musicalement ce qu'il souhaite. »

Laurence Jalbert

« Tous les chanteurs devraient savoir lire la musique, parce que l'intelligence et la compréhension qui viennent avec cet apprentissage sont nécessaires. Sinon, le chanteur aura un handicap tout au long de sa carrière. Étant donné que je n'ai jamais appris à lire la musique, j'ai dû mentir durant mes années de choriste, et je n'en suis pas fière. J'ai fini par apprendre à lire de mémoire, ce qui m'oblige à m'enregistrer. »

Lulu Hughes

« Acquérir une bonne base en musique est très utile. Certains chanteurs ne jouent pas d'un instrument, mais ils sont profondément musiciens ; ils savent écrire des mélodies et les harmoniser. On peut être musicien sans jouer d'un instrument, car la voix est aussi un instrument. Mais je privilégierai toujours une formation de base en musique ; ça permet de progresser plus rapidement, de comprendre mieux le métier et de se débrouiller davantage dans le milieu. C'est toujours utile de pouvoir jouer d'un instrument. »

Marie Michèle Desrosiers

la fois comme choristes pour les autres candidats et comme solistes, sans compter qu'ils enregistrent un album. L'ensemble des prestations laisse peu de temps pour une gymnastique vocale adéquate. Ils sont plusieurs heures d'affilée sans aucun repos vocal et doivent donner leur maximum pendant 6 mois. Même les chanteurs professionnels n'ont pas à en faire autant en si peu de temps. Une telle surexploitation de la voix parlée et chantée dans des contextes de tension maximale met en péril la santé des cordes vocales et la carrière tant convoitée. Aussi, tout comme certains jeunes olympiens poussés à la limite de leurs possibilités, plusieurs de ces chanteurs développent-ils des problèmes de voix. On ne saurait trop recommander aux candidats de se donner un bon entraînement physique et vocal avant d'y participer, et d'entretenir des liens étroits avec leur laryngologue et leur professeur de chant.

ÊTRE UN ARTISTE COMPLET

L'expérience démontre que ceux qui réussissent ont non seulement une solide formation en chant, mais aussi en musique. L'une des meilleures manières de créer les arrangements et les atmosphères désirés ou de les obtenir de ses musiciens, est de connaître la musique. C'est aussi une excellente manière de susciter le respect de ses musiciens. Toutes les avenues intégrant le chant et la musique sont alors ouvertes : créer un air pour une annonce publicitaire, devenir choriste pour un autre chanteur, enseigner, même composer une trame sonore de film (Jorane).

Toutes les avenues doivent être explorées, non pas comme autant de sources de revenus en attendant de faire carrière, mais comme autant de lieux de réseautage, d'expérience et de perfectionnement et de compréhension du fonctionnement de l'industrie.

Le jeune chanteur doit aussi très sérieusement considérer de développer les talents requis pour la comédie musicale. Depuis vingt-cinq ans, la comédie musicale a été, avec les concours, l'une des plus grandes pépinières de nouveaux chanteurs dans toute la francophonie. Or, la comédie musicale est une expression artistique très complète puisqu'elle conjugue le chant, le jeu théâtral et la danse. Les comédies musicales sont extrêmement exigeantes tant au plan de l'expression vocale, de l'interprétation, de la mise en scène que de la chorégraphie. Pour pouvoir profiter de cette occasion de visibilité, le chanteur doit pouvoir chanter, jouer et danser en même temps, sans paraître essoufflé, en rendant une gamme d'émotions souvent complexes, et ce, tous les soirs de la semaine.

À Toronto, à Londres ou à New York, on va voir les comédies musicales sur la foi de la qualité du produit indépendamment des artistes qui en font partie, et les artistes s'interchangent sans que cela ne nuise à la notoriété de la pièce. À Montréal ou à Paris, on tient aux vedettes, ce qui met une pression supplé-

« Si quelqu'un veut faire de la musique son métier, il lui faut une formation en musique, sinon il sera comme ces milliers de personnes qui chantent sans savoir ce qu'ils font. Si un chanteur écrit ses propres mélodies et ses paroles sans pouvoir les jouer, il lui sera presque impossible d'en vivre. Pourtant, les jeunes ont tendance à délaisser cet apprentissage de nos jours. Ils ne veulent pas apprendre à lire la musique, parce qu'ils préfèrent se fier uniquement à leur oreille. La réalité du métier fera qu'ils n'iront pas loin, à moins qu'un succès ne les transforme en star. Il ne faut pas trop se fier à la chance. J'ai vu beaucoup de chanteurs disparaître ; on n'entend plus jamais parler d'eux ! Chacun sait s'il veut vraiment chanter ou seulement être une star ; par exemple, Rock Voisine a une belle voix, mais il compose et joue aussi sa musique ; chez les femmes, il y a France D'Amour et Jorane. Dans ce milieu, il existe de grands avantages à pouvoir être indépendant et à n'avoir besoin de personne. »

Nanette Workman

mentaire sur les épaules des chanteurs. D'une part, les producteurs tentent d'abord d'associer à leur produit des noms connus, qu'ils soient chanteurs ou non. D'autre part, les chanteurs s'obligent à assurer leur rôle coûte que coûte à chacune des représentations. Dans ces conditions, le chanteur doit avoir développé sa voix avec une technique appropriée ainsi qu'un excellent soutien musculaire. De plus, il doit savoir se déplacer à l'aise sur une scène tout en gardant son attention sur

sa prestation vocale. C'est une gymnastique autant psychologique que physique qui réclame une très grande concentration.

POURQUOI CHANTER ?

Le véritable artiste se distingue toujours par ses motivations intrinsèques. Pas un chanteur ne dira qu'il fait le métier qu'il fait pour les avantages sociaux, l'argent ou même la gloire. Et quand la vie les leur apporte, et malgré les efforts inouïs qu'ils ont faits pour y arriver, ils sont

« Quand je chante, je m'exprime avec mon corps autant que ma voix : je me promène, je hurle, je crie et, tout à coup, tout s'adoucit. J'entre dans un état second où j'oublie tout ce qui se passe autour de moi et où je perds la notion du temps et de l'espace. D'ailleurs, cet état est presque devenu une façon de vivre pour moi. C'est un grand privilège que j'ai reçu et je ne veux surtout pas le gaspiller. »

Laurence Jalbert

« L'énergie dégagée par mon groupe de musiciens et de chanteurs me force à aller au bout de moi-même, à participer à un élan commun où chacun se stimule, s'écoute et évolue. Savoir écouter est donc fondamental pour le chanteur. En spectacle, je cherche à maintenir l'équilibre entre ma capacité à m'écouter et à écouter les choristes et les musiciens qui m'entourent, et ce, tout en restant spontanée et fidèle à ma technique. Quand ça fonctionne, je m'oublie complètement, j'oublie tous mes complexes et tout ce qui se passe autour de moi. Je n'existe plus. Ça, c'est un moment de grâce. »

Lulu Hughes

« Pour moi, tout a commencé avec des comédies musicales à l'école secondaire. À ma première représentation, ce fut une révélation. J'ai été complètement enrobée de ce sentiment que donne la situation de « performance », sensation qui me mystifie encore. Cette impression de ne plus être dans son corps, c'est fort. C'était la première fois que je rencontrais ma voix, et ce fut un coup de cœur ! »

Ariane Moffatt

les premiers à reconnaître qu'il y a une part de chance, de coïncidences et de rencontres heureuses. L'humilité est au toujours rendez-vous dans le succès.

En fait, l'histoire démontre que ceux qui quittent le métier n'étaient pas prêts à investir ce qu'il fallait de travail, de discipline personnelle ou d'apprentissages. S'ils étaient prêts à y consacrer du temps, ils n'étaient toutefois pas déterminés à y consacrer toute une vie.

Malgré les difficultés du métier et la force intérieure exigée, il ne faudrait pas croire que les chanteurs sont masochistes. Au contraire. S'ils savent dépasser toutes les contraintes et tout endurer, c'est qu'ils s'accrochent au bonheur que leur apporte la prestation elle-même.

Alors, pourquoi le chanteur chante-t-il ? Pour chanter. Pour la sensation que chanter procure. Pour renouer le plus souvent possible avec un état d'être où le temps et l'espace s'abolissent, où l'on se perd dans l'immensité de l'échange avec les auditeurs, où l'on est en état de communication profonde avec soi-même et avec les autres.

C'est pour vivre et revivre cette sensation le plus longtemps possible que le chanteur est prêt à toutes les disciplines du corps et de l'esprit, car seule une passion dévorante pour le métier permet de véritablement chanter de tout son corps.

CHAPITRE 2

QU'EST-CE QUI RÉSONNE ?

Q U'EST-CE QUE LE SON SINON UNE VIBRATION QUE NOTRE corps apprend à traduire en sensation sonore ? Cela paraît simple, mais en fait l'étude du son est vaste, car elle suppose à la fois des notions de physique, de mécanique et de physiologie. Il y a une part de données acoustiques mesurables et une part de perception ; entre les deux existent des mécanismes complexes.

Comment les sons sont-ils produits ? Comment l'oreille s'y prend-elle pour nous les faire percevoir ? Celui qui veut comprendre les mécanismes de production de la voix, s'exercer à reconnaître les particularités des voix et améliorer sa propre voix, ne peut ignorer ces processus.

SONS ET VOIX

Jetons une pierre dans l'eau : les ondulations concentriques de l'eau se transmettent de l'énergie de proche en proche. Que ce soit dans l'eau ou dans l'air, une onde est toujours un mouvement vibratoire initié par un choc, une compression ou un frottement qui déforme le milieu où il se propage. La déformation gagne les molécules voisines qui agissent elles aussi sur leurs voisines pour évacuer le surplus d'énergie reçu et ainsi retrouver leur équilibre.

En acoustique, on distingue la source sonore, soit le son d'origine, et la résonance, soit la vibration réémise par la matière entourant la source sonore. Le frottement de l'archet sur les cordes d'un violon, le pincement des cordes d'une guitare, le souffle qui percute l'anche d'une clarinette, le passage de l'air sur les cordes vocales sont des sources sonores. Ce sont les molécules d'air qui communiquent les caractéristiques vibratoires du son d'origine aux matériaux des divers instruments. Dans le cas de la voix, les molécules d'air répandent et réverbèrent les vibrations des cordes vocales aux tissus de la gorge et du conduit vocal qui les « résonnent ».

PROPRIÉTÉS ET CARACTÉRISTIQUES DU SON

La vitesse de propagation du son varie selon le milieu dans lequel il se propage, mais aussi en fonction de la température ; dans l'air à température ambiante, elle est de 340 mètres par seconde. Comme toutes les ondes, le son peut être réfléchi (écho, réverbération ou renforcement du son) et réfracté (dans les particules du brouillard).

Ces propriétés ne sont pas utiles au chanteur lui-même, mais elles sont la préoccupation quotidienne des architectes de salles de spectacles, des ingé-nieurs du son et de l'entourage des chanteurs qui recherchent le meilleur rendu possible pour la voix de leurs artistes.

Toutefois, trois autres caractéristiques des vibrations sonores servent à décrire aussi bien le son que la voix humaine et sont importantes pour le chanteur. Il s'agit :

— de l'intensité, qui fait que les sons sont forts ou faibles ;

— de la hauteur, qui distingue les sons graves des sons aigus ;

— du timbre, qui donne à un son ou à une voix sa couleur caractéristique.

INTENSITÉ

La propagation des ondes sonores est une propagation d'énergie mécanique dont l'intensité dépend de l'amplitude des vibrations. Les variations du flux d'énergie ainsi reçu par l'oreille permettent de distinguer les sons forts et les sons faibles.

On mesure l'intensité du son en watts ; c'est la mesure qu'on utilise pour parler de la puissance des systèmes de son ou des chaînes stéréo. Mais pour établir un lien entre l'intensité du son émis et du son perçu par l'oreille humaine, très utile notamment pour légiférer contre le bruit, il s'est avéré plus commode de créer une échelle de référence dont l'unité est le décibel (dB).

Le point zéro de cette échelle est le seuil d'audibilité, et le maximum de puissance tolérable pour l'oreille humaine se situe autour de 130 à 140 dB.

(10 dB), tout comme elle peut se rendre au hurlement (110 dB). Selon les estimations, le son d'un orchestre symphonique se situerait entre 90 et 110 dB.

L'énergie mécanique du son se propage dans toutes les directions à la fois et se répartit sur des surfaces de plus en plus grandes ; cette propriété des sons explique pourquoi plus on s'éloigne de la source sonore, moins le son est fort.

Il est possible pour le chanteur de changer son intensité vocale

en coordonnant divers arrangements des muscles du larynx pour en modifier la longueur, l'épaisseur et la tension, ou en augmentant la pression de l'air pulmonaire sous les cordes vocales.

HAUTEUR

La rapidité de la vibration sonore, telle qu'elle est perçue par l'oreille humaine, permet de distinguer les sons aigus des sons graves (figure 2.1). On mesure cette rapidité en calculant le nombre de crêtes ou de creux

Intensité — amplitude des vibrations — sons forts ou faibles — dB

Pour se donner un point de comparaison, une conversation normale se situe à 50 dB à une courte distance. Cette échelle est de type logarithmique, comme l'échelle Richter pour les tremblements de terre ; autrement dit, chaque unité représente le double de la précédente.

Dans la voix parlée et chantée, l'intensité peut baisser pratiquement au seuil de l'audibilité, comme dans le chuchotement

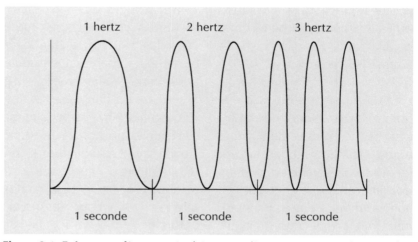

Figure 2.1 Fréquence d'un son. La fréquence d'un son correspond au nombre d'oscillations par seconde et se mesure en hertz.

« Même si on réussit une belle carrière comme chanteur, on ne sait pas tout d'une bonne technique vocale. J'ai eu de la difficulté à trouver ma spécificité et ma couleur de voix, étant donné l'aspect autodidacte de ma démarche. C'est ce qui explique pourquoi je me suis promené d'un registre à l'autre sans arrêt. Il y a plus de vingt ans que je chante et j'ai longtemps pensé que j'étais un ténor, mais j'ai fini par découvrir que je suis un baryton. J'ai une grande étendue vocale qui me permet de chanter ténor, mais ma vraie zone de confort, celle qui me permet de ne pas me blesser, c'est celle de baryton. Il m'aura fallu plusieurs années et deux blessures aux cordes vocales pour le découvrir. »

Bruno Pelletier

de la vibration sur une durée d'une seconde, ce qui donne sa fréquence. La fréquence se mesure en hertz (Hz). Chaque note a un nombre précis de hertz. Par exemple, le do central (do3 ou C3), situé au centre des huit octaves utilisées en musique, vibre à 262 Hz.

La hauteur d'un son ou d'une note dépend donc de la fréquence du mouvement vibratoire. La hauteur de la voix parlée ou chantée varie en fonction de l'âge et du sexe et elle est génétiquement déterminée : on naît avec la voix grave ou aiguë.

Dans la plupart des cultures, le classement des voix s'effectue à partir de plusieurs facteurs, dont la hauteur des sons est le premier critère distinctif.

Toutefois, ce n'est pas toute l'étendue des notes que peut émettre une voix qui est considérée pour le classement, mais la portion où l'on observe une homogénéité des sons. On appelle cette portion la tessiture. Cette plage de sons correspond habituellement aux notes où le chanteur est le plus confortable et où la voix est la plus naturelle.

Hauteur — fréquence — sons aigus ou graves — hertz

Le chanteur professionnel peut agir sur l'étendue des fréquences où il peut chanter confortablement, mais il ne pourra jamais aller jusqu'à changer de tessiture. Quand cela se produit, c'est typiquement parce qu'on découvre qu'il y a eu un mauvais classement au départ.

TIMBRE

Tous s'entendent pour dire que les voix ont une qualité indéfinissable qui les rend agréables ou mordantes, chaudes ou antipathiques (on peut ajouter mille autres qualificatifs ici), et cette qualité, c'est le timbre. Ces différences qualitatives de sons pourtant de même intensité et de même hauteur s'entendent fort bien : on dit qu'une voix est plus sombre, plus éclatante, plus brillante, plus aigre, plus riche, plus stridente, plus blanche. C'est pourquoi on parle de sa couleur, de sa personnalité.

Au plan acoustique, le timbre est relié à la structure du son. En fait, les sons sont des combinaisons plus ou moins complexes de vibrations ayant leur fréquence propre. Le timbre d'un son dépend donc du spectre des fréquences qui le composent. Ce spectre est déterminé par la configuration et le matériau qui produit et réverbère le son.

Ainsi, chaque instrument de musique a un timbre qui lui donne sa personnalité. Selon que l'instrument est petit ou gros (longueur et largeur), selon sa configuration et son contour (forme), selon la densité de son matériau (métal, bois, peau ou tripe), il « résonne » des fréquences plus élevées ou plus basses, et l'ensemble de ces résonances lui confère un « son » qui le distingue entre tous.

La voix humaine réagit selon les mêmes principes. Chaque voix est unique parce que son timbre tient à un ensemble de caractéristiques structurelles propres à l'anatomie de la personne. Pour comprendre comment elle est directement affectée par l'état de santé et d'être général, il faut en distinguer la fréquence fondamentale et les harmoniques.

FRÉQUENCE FONDAMENTALE ET HARMONIQUES

Il y a toujours une ou quelques-unes des fréquences du spectre qui sont prépondérantes. Elles forment un groupe de sons de base, qu'on nomme fréquence fondamentale, auquel se superpose une série de sons, les partiels ou harmoniques. La fréquence fondamentale est toujours la plus grave d'un son et les harmoniques sont toujours des multiples de la fréquence fondamentale (figure 2.2).

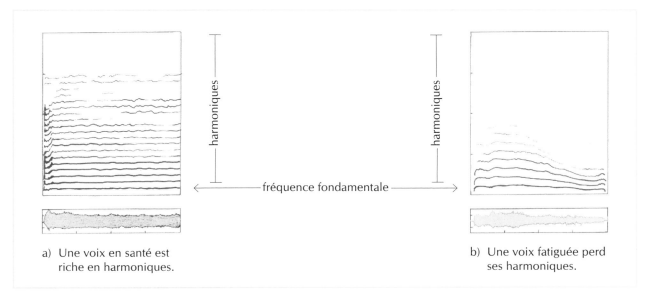

a) Une voix en santé est riche en harmoniques.

b) Une voix fatiguée perd ses harmoniques.

Figure 2.2 Fréquence fondamentale et harmoniques

Par comparaison, le diapason produit un son fondamental sans harmonique (440 Hz, la3) : c'est un son pur.

Dans la voix parlée ou chantée, ce sont les mouvements complexes des cordes vocales qui introduisent le spectre des fréquences dans la voix du chanteur, aussi bien la fréquence fondamentale propre à la configuration de son larynx que les harmoniques de fréquences supérieures propres à la configuration de son conduit vocal. Quoique l'épaisseur, la longueur et la souplesse des cordes vocales soient tributaires de la génétique, le chanteur peut les ajuster de manière à augmenter ou à diminuer la légèreté ou la richesse de sa voix, dans les limites toutefois des spécificités génétiquement déterminées. Mais quel que soit le travail effectué sur sa voix, quelles que soient ses manières de l'utiliser, le chanteur émettra toujours un spectre de fréquences particulières uniques qui constituent sa signature.

Pour bien comprendre ce qui distingue les habiletés du chan-teur, il nous faut aller plus loin dans la compréhension de la résonance vocale.

MODULATION DES SONS ET RÉSONANCE VOCALE

Quand un son harmonique complexe traverse un espace qui le résonne, cet espace se comporte comme s'il préférait certaines fréquences à d'autres, ce qui a pour effet de les amplifier. Or, toute oscillation de la force d'impulsion ou de la pression sur les molécules d'air modifie la perception du son et de ses qualités sonores. D'une part, l'intensification de la pression donne l'impression que le son a augmenté de volume ; d'autre part, comme certains harmoniques ne sont pas modifiés, que d'autres sont amplifiés et d'autres atténués, réduits ou affaiblis, le son est perçu comme étant qualitativement différent.

Le conduit vocal, qui commence au-dessus des cordes vocales et s'étend jusqu'à l'extérieur des lèvres, exerce cet effet de modulation sur la source sonore (figure 2.3). Sa taille, sa forme et la densité de ses parois peuvent emprunter une multitude

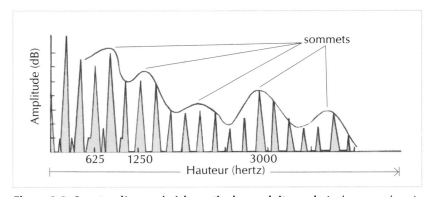

Figure 2.3 Spectre d'une voix à la sortie du conduit vocal. Le larynx et les résonateurs du conduit vocal introduisent divers sommets d'intensité ou d'énergie dans le spectre sonore, ce que le cerveau interprète comme des qualités sonores particulières.

de formes plus ou moins marquées qui déterminent, dans la voix parlée et la voix chantée, quelles fréquences harmoniques sont amplifiées, lesquelles sont atténuées ou restent inchangées. Ces effets du conduit vocal sur le spectre de la source vocale constituent ce qu'on appelle la résonance vocale.

La relation entre la forme du conduit et la longueur d'onde est la clé du phénomène de résonance. Un conduit vocal plus large contribue à la perception que la voix est plus ronde, plus riche, parce qu'il fait ressortir les basses fréquences ; inversement, un conduit vocal plus petit « résonne » les fréquences plus élevées, et la voix est perçue comme plus claire.

En fait, le conduit vocal est constitué d'une chaîne d'espaces de résonance de formes et de dimensions et variées, qu'on appelle résonateurs (voir chapitre 3). Le son émis par les cordes vocales émerge à l'autre bout du conduit vocal avec la même fréquence fondamentale, mais il acquiert durant son parcours une qualité vocale sensi-

blement différente sous l'action des résonateurs.

Cet aspect est très important pour le chanteur : tout son travail consiste à apprendre à former son conduit vocal de manière à produire diverses résonances dans les limites de son spectre sonore original pour lui donner les qualités vocales correspondant aux émotions et aux sens particuliers qu'il souhaite exprimer.

RÉSONATEURS ET FORMANTS

Les résonateurs amplifient des groupes particuliers d'harmoniques à l'intérieur du spectre

sonore généré par les cordes vocales en y introduisant des zones de renforcement de certains harmoniques, qu'on appelle formants (figure 2.4). À la figure 2.4, les fréquences sont réparties sur l'axe horizontal en fonction de leur hauteur (hertz), alors que l'axe vertical représente leur amplitude (dB). Les sommets des fréquences les plus marquées du spectre constituent la couleur et la personnalité de la voix.

Chaque résonateur est susceptible de produire un formant si des harmoniques d'un son correspondent à sa fréquence de résonance. On observe que,

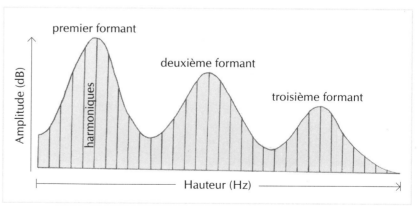

Figure 2.4 Résonateurs et formants. Chacune des lignes verticales représente un groupe d'harmoniques.

quelle que soit leur hauteur, les sons vocaux comprennent quatre formants principaux qui apparaissent aux environs de 500, 1500, 2500 et 3500 hertz ; ils correspondraient à quatre combinaisons de forme et d'ouverture des lèvres, de la langue, du palais mou et de la mâchoire.

Les chanteurs d'opéra présentent parfois un formant supplémentaire situé entre 2500 et 3200 Hz, donc entre les 3e et 4e formants : on l'appelle formant du chanteur. Il serait généré sans effort par des effets de résonance quand le larynx s'abaisse et que le conduit vocal s'allonge. Cette amplitude, à ces fréquences, serait utile pour se faire entendre au-delà de l'orchestre dont les harmoniques sont moins amplifiés à cette hauteur.

En chant populaire ou de variétés, les chanteurs n'ont pas besoin de recourir à cette technique, car ils utilisent des appareils électroniques comme mode d'amplification. De toute manière, la distorsion des mots prononcés à ces fréquences serait trop peu naturelle.

COMMENT LA VOIX EST-ELLE PRODUITE ?

La complexité et le raffinement des vibrations émises par les cordes vocales en réponse à la pression de l'air qui les traverse ne se comparent à aucun autre mode de production des sons.

Quand l'air en provenance des poumons commence à circuler entre les cordes vocales, la pression provoque des ondulations rapides de bas en haut dans les tissus des deux cordes vocales. Les creux des deux cordes se rencontrent et laissent passer de petites quantités d'air alors que les crêtes s'entrechoquent et provoquent les ondes de choc qui démarrent la chaîne de réactions à travers les molécules d'air de la gorge.

Aussi longtemps que l'air circule, l'ondulation se poursuit avec son alternance de creux et de crêtes.

Si les cordes vocales sont en bonne santé, leur longueur, leur épaisseur et leur tension sont modifiées simultanément de telle sorte qu'elles ondulent au

même rythme, aussi bien lors de la voix parlée que de la voix chantée. Plus elles sont longues, minces et tendues, plus l'ondulation est rapide, ce qui est perçu par l'oreille humaine comme des sons de hautes fréquences. Inversement, plus les cordes sont courtes, épaisses et détendues, moins l'ondulation se répète, ce qui est perçu comme des sons de basses fréquences.

En chant, pour qu'une note soit juste, il doit y avoir un juste équilibre dans la pression de l'air sous les cordes vocales et une grande précision dans la coordination des divers muscles du larynx. Quand on parle, on passe en douceur d'une vibration des cordes vocales à une autre, mais pour pouvoir chanter, on doit apprendre à stabiliser la longueur, l'épaisseur et la tension de ses cordes vocales en des points précis correspondant aux notes à chanter.

Pour parler ou chanter fort, les cordes vocales doivent être fortement serrées ensemble, ce qui requiert davantage de pression d'air pour amorcer les

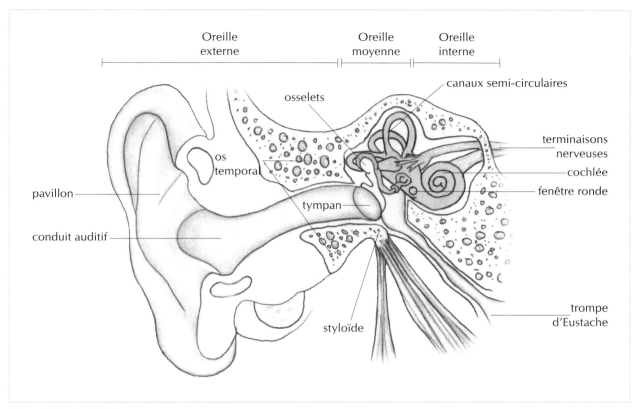

Figure 2.5 Oreille interne, moyenne et externe

ondulations ; l'amplitude des ondulations et la force d'impact des ondes de choc sont alors au maximum. Quand on parle ou qu'on chante doucement, on fait l'inverse : les cordes vocales sont plus relâchées, la pression de l'air moindre, l'amplitude des cordes moins élevée et les collisions moins nombreuses.

Ces considérations ont de l'importance quand se pose pour le chanteur populaire la question d'apprendre à amplifier sa voix sans crier ni forcer ses cordes vocales. En ce sens, nous aborderons la technique d'amplification « belting » qui consiste à augmenter la puissance, sans nécessairement chanter plus fort.

COMMENT L'OREILLE ENTEND-ELLE LES SONS ?

La voix imprime une intention et un sens dans la mécanique du larynx et transfère les mouvements des cordes vocales dans l'air sous la forme physique de vibrations sonores (figure 2.5). L'oreille inverse le processus

« Quand on est à la fois imitateur et chanteur, les gens croient que nos oreilles sont impeccables, mais non, je n'ai pas l'oreille absolue. Il m'a fallu développer une technique vocale pour pouvoir reconnaître quand les chanteurs en ont une ou non. Malgré tout, j'ai eu de la difficulté à enregistrer en studio jusqu'à ce que j'aille me perfectionner dans un centre Tomatis. Grâce à leur technique d'écoute électronique avec casque d'écoute, je me suis entraîné à m'écouter de l'oreille droite et à maîtriser ma voix. J'obtiens maintenant une meilleure concentration et, surtout, une belle voix ronde, non forcée et très juste. Rééduquer mon oreille de cette façon a définitivement résolu mes difficultés en studio d'enregistrement. »

Steeve Diamond

de production des sons en les transformant de vibrations sonores en oscillations, puis en impulsions électriques. Grâce à trois systèmes complexes de nature physique, mécanique et neurologique, l'oreille encaisse les vibrations de l'air où se propage le son, les achemine des osselets à la cochlée où les terminaisons nerveuses les relaient au cerveau sous forme d'impulsions.

Ce transfert d'énergie, des stimulus physiques jusqu'à leur conversion en influx nerveux, se réalise dans les trois compartiments de l'oreille : l'oreille externe, l'oreille moyenne et l'oreille interne.

L'oreille externe est l'organe de réception du son : le pavillon détecte l'origine du bruit, le conduit auditif et la face externe du tympan captent le son et l'acheminent à l'oreille moyenne.

L'oreille moyenne transforme cette énergie acoustique en énergie mécanique grâce aux osselets (marteau, enclume et étrier), aux fenêtres (ovale et ronde) et à la cochlée (figure 2.6). Elle contribue aussi à atténuer le son en redistribuant l'énergie des osselets aux zones environnantes. L'oreille moyenne sert ainsi de mécanisme de protection contre les sons de trop forte intensité.

L'oreille interne loge l'appareil de perception, soit la chaîne nerveuse. Cette dernière commence dans l'organe de Corti, où les cils amorcent la perception, et se continue dans les cinq étages de neurones qui aboutissent aux aires auditives du cortex cérébral. Il est intéressant de constater que, pour réussir à transmettre les messages sonores, ces cinq niveaux contiennent de plus en plus de neurones : 25 000 aux ganglions de Corti, 90 000 aux noyaux cochléaires, 400 000 aux 1er et 2e relais mésencéphales et plus de 10 millions dans le cortex auditif.

Malgré la puissance de cette captation et quelle que soit l'intensité des sons, il y a un seuil au-delà duquel l'oreille humaine ne les perçoit plus. Chez la majorité des êtres humains, les fréquences inférieures à 15 Hz et supérieures à 20 000 Hz ne produisent aucune sensation sonore. En général, l'oreille humaine entend dix octaves. Par comparaison, la voix s'étend sur quatre octaves, entre 70 et 1500 Hz (do1 à sol5, C1 à G5).

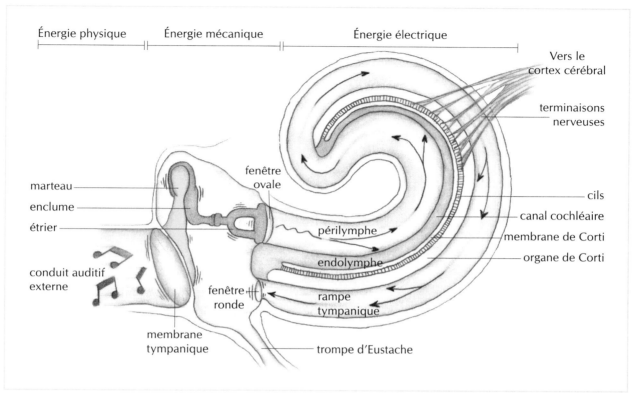

Énergie physique | Énergie mécanique | Énergie électrique

Vers le cortex cérébral

terminaisons nerveuses

fenêtre ovale

marteau

enclume

étrier

cils

canal cochléaire

périlymphe

membrane de Corti

conduit auditif externe

endolymphe

organe de Corti

fenêtre ronde

rampe tympanique

membrane tympanique

trompe d'Eustache

Figure 2.6 Mécanisme de l'entendement. Le cheminement du son dans l'air jusqu'à l'entendement s'amorce par la transformation des vibrations acoustiques (énergie physique) captée par le pavillon de l'oreille en vibrations des trois osselets (énergie mécanique) qui sont à leur tour traduites en impulsions nerveuses (énergie électrique) dans l'oreille interne et acheminées au cerveau.

Entre autres propriétés, le son a la capacité de contourner les obstacles ; c'est ce qui explique l'asymétrie de perception entre les deux oreilles. Un même son est toujours perçu plus fort s'il est en ligne directe avec les oreilles que s'il est produit en avant ou en arrière de la tête. La présence de la tête introduit une différence dans la perception des sons aigus par les deux oreilles. À l'inverse, pour les sons graves, d'amplitude plus grande, c'est un écart dans le temps qui est perçu.

Par ailleurs, l'oreille a la faculté de discriminer et de sélectionner les fréquences, ce qui lui permet, par exemple, de capter la voix particulière d'un interlocuteur ou d'un bruit extérieur même dans un bruit ambiant de forte intensité.

CHAPITRE 3

QUEL EST CE CORPS QUI CHANTE?

O N A VU QUE LA VOIX EST UN PHÉNOMÈNE PHYSIOLOGIQUE par lequel l'air expiré des poumons est transformé en énergie acoustique. Cet air expiré déclenche la vibration des cordes vocales qui, elles, engendrent le son. Ce mécanisme est similaire au jeu d'enfant qui consiste à souffler dans deux brins d'herbe que l'on rapproche pour créer un sifflement. Le son produit par la vibration des cordes vocales résonne dans la gorge pour être ensuite modulé par la bouche, la langue et les lèvres.

La complexité du phénomène est mise en évidence par la voix chantée. En effet, la technique de la voix chantée est fondée sur une connaissance de l'anatomie et de la physiologie de la gorge, du larynx et des voies respiratoires. C'est un chanteur et pédagogue, Emmanuel Garcia, qui a le premier inventé une technique d'autoexamen des cordes vocales par un jeu de lumières reflétées sur des miroirs. Le miroir laryngé est toujours d'usage courant, mais grâce à la fibre optique et à la stroboscopie, il est maintenant possible d'examiner les cordes vocales en vibration et le larynx en phonation. L'analyse acoustique témoigne du résultat de la technique au-delà de l'appréciation subjective et perceptuelle.

Beaucoup d'informations et de technologies d'observation sont donc accessibles au chanteur qui désire approfondir ses connaissances sur la voix. Entre autres, il importe au chanteur de bien comprendre le mécanisme de la respiration, le fonctionnement de son larynx et la localisation de ses résonateurs.

RESPIRATION

Le poumon est un ballon sujet aux pressions à l'intérieur de la cage thoracique. Les côtes forment les parois de la cage et le diaphragme forme la base de la cage thoracique (figure 3.1). Quand les côtes sont en élévation. elles créent une expansion de la cage thora-

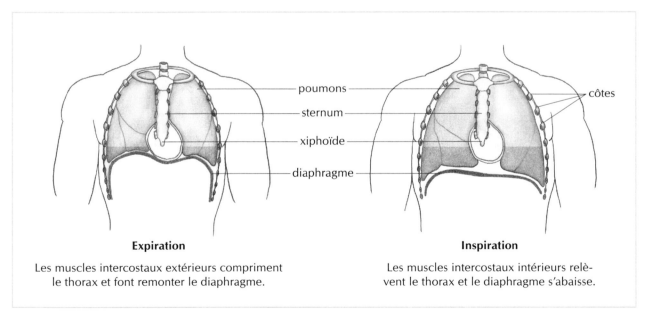

poumons

sternum

xiphoïde

diaphragme

côtes

Expiration

Les muscles intercostaux extérieurs compriment le thorax et font remonter le diaphragme.

Inspiration

Les muscles intercostaux intérieurs relèvent le thorax et le diaphragme s'abaisse.

Figure 3.1 Mouvement du diaphragme durant la respiration

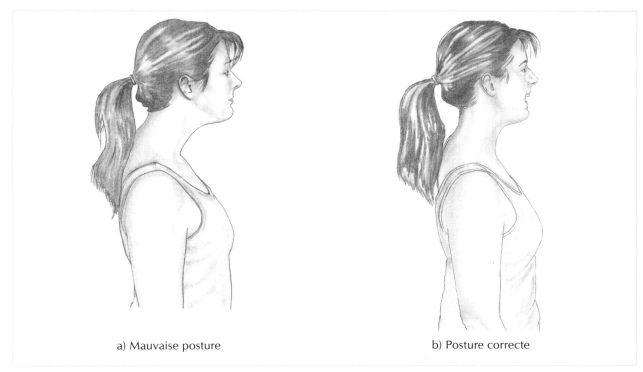

a) Mauvaise posture   b) Posture correcte

Figure 3.2 Posture pour le chant

cique, tels les mouvements de l'anse d'un seau, et permettent aux poumons de se remplir d'air. Le diaphragme est un muscle en forme de dôme inversé. Sa contraction augmente la pression dans la cage thoracique et l'air est expulsé du poumon.

La durée de la phonation est contrôlée par le débit de l'air expulsé par les poumons. Le chanteur doit contrôler ce débit non seulement par la tension du larynx, mais aussi par la tension de la cage thoracique. Les muscles abdominaux entrent en jeu pour stabiliser la cage thoracique et permettent les mouvements du diaphragme.

L'alignement postural est primordial à l'efficience respiratoire et phonatoire. Une mauvaise posture restreint l'excursion de la cage thoracique et diminue le support à la phonation. Que ce soit en chant classique ou en chant populaire, la meilleure position pour la tête est la même : la tête doit être dans l'axe de la colonne vertébrale en position debout. Il ne faut pas avancer le menton pour ne pas restreindre le mécanisme du larynx (figure 3.2).

LE PHARYNX

Le pharynx est le conduit mus-
culo-membraneux entre la bouche et l'œsophage où se croi-
sent les voies digestives et les
voies respiratoires (figure 3.3).
C'est le grand ensemble qui
contient les composantes de la
phonation du larynx. Quand
on réfère à la gorge, on désigne
en fait l'ensemble du pharynx.

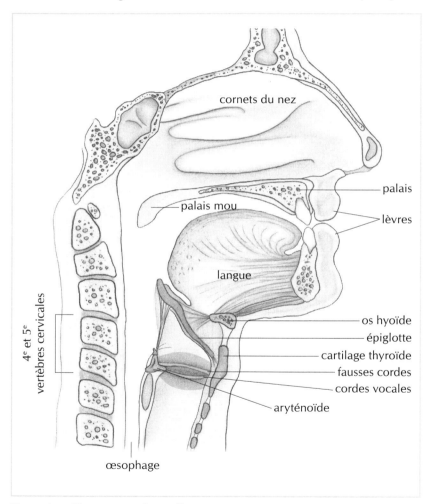

Figure 3.3 Pharynx vue de profil

cornets du nez

palais

palais mou

lèvres

langue

os hyoïde

épiglotte

cartilage thyroïde

fausses cordes

cordes vocales

aryténoïde

œsophage

4e et 5e
vertèbres cervicales

LE LARYNX

Le larynx, communément appelé la boîte vocale, est une structure cartilagineuse, musculaire
et ligamentaire. C'est un organe
biomécanique hautement spécialisé sous contrôle réflexif et
volitif. Le larynx est la porte
d'entrée de la trachée, des bronches et des poumons. Sa fonction essentielle est d'empêcher
l'entrée de corps étrangers dans
les voies respiratoires lors de la
déglutition. Par le mouvement
des cordes vocales, il contrôle
le débit d'air lors de la respiration. L'expiration d'air peut être
bloquée, ce qui augmente la
pression intra-abdominale ; ce
mécanisme est important lors
de la levée de poids.

Tel le cœur, le larynx est continuellement en mouvement, car
la respiration induit des mouvements réflexes des cordes
vocales.

Le larynx consiste en cinq cartilages, soit le cricoïde, le thyroïde, les deux aryténoïdes et
l'hyoïde, liés par des ligaments
et des muscles (figure 3.4). Ces
cartilages sont suspendus à la

mâchoire et au crâne et sont ancrés au sternum. Les aryténoïdes sont situés sur l'anneau du cricoïde et sont gouvernés par plusieurs muscles dont la fonction est de déplacer les cordes vocales de façon à leur permettre de se rejoindre au plan médian ou de se séparer.

« Un jour, j'ai découvert qu'en utilisant mes fausses cordes, je pouvais produire un son granuleux, presque rauque, qui rendait dans ma voix les tempêtes et les rochers de mes textes. Alors, je suis allée travailler avec Loudia Levac, une professeure de chant formidable qui m'a enseigné une façon de le contrôler à ma guise, et ce, en me faisant comprendre le fonctionnement de mon pharynx. Il existe une manière de s'exercer le cou, le pharynx et l'os hyoïde pour faire vibrer les fausses cordes. »

Laurence Jalbert

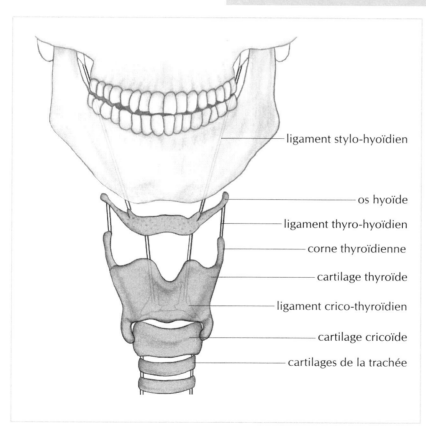

ligament stylo-hyoïdien

os hyoïde

ligament thyro-hyoïdien

corne thyroïdienne

cartilage thyroïde

ligament crico-thyroïdien

cartilage cricoïde

cartilages de la trachée

Figure 3.4 Ossature du larynx (vue de face)

Cette structure hautement élastique confère au larynx une grande mobilité en relation avec les mouvements de la tête et du cou (figure 3.5). Les muscles internes du larynx permettent une variété de configurations. Ainsi, tel un accordéon, l'intérieur du larynx se replie sur lui-même ou s'ouvre afin de permettre la respiration, la déglutition et la phonation.

On réfère communément aux vraies cordes vocales et aux fausses cordes vocales. En fait, il ne s'agit pas de cordes au sens strict, mais bien de replis musculaires et ligamentaires. Surtout, il n'y a rien de vrai ou faux dans ces structures.

On reconnaît que le son est produit par les vraies cordes

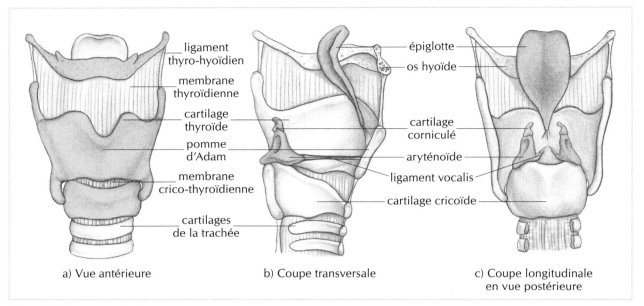

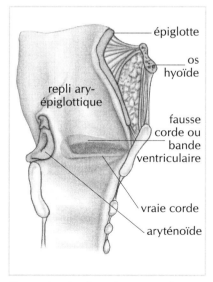

| a) Vue antérieure | b) Coupe transversale | c) Coupe longitudinale en vue postérieure |

Figure 3.5 Structure du larynx

vocales grâce à la vibration d'une fine chair recouvrant le muscle vocal. Située juste au-dessus des cordes vocales, une bande ventriculaire agit au premier niveau de modulation du son engendré par les cordes vocales, même si elle est incapable de vibration. Elle est constituée par le bord libre du repli ary-épiglottique qui tapisse le larynx entre l'épiglotte et aryténoïde. C'est la fausse corde (figure 3.6).

Il n'y a que deux cordes vocales ; elles sont symétriques, au plan horizontal, fixées à mi-hauteur du cartilage thyroïde, entre la 4e et la 5e vertèbre cervicale.

La structure des cordes vocales est unique. Elle consiste en un muscle longitudinal, le muscle *vocalis*, qui s'attache au cartilage thyroïdien à l'avant et au cartilage aryténoïde à l'arrière. Ce muscle est recouvert d'une fine couche élastique et d'une chair transparente et mobile. Comme la peau qui recouvre le dessus de la main, la laxité de la couverture de la

Figure 3.6 Vraie et fausse corde

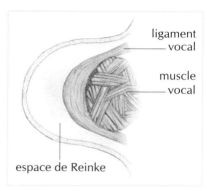

Figure 3.7 Coupe de la corde vocale.
Le muscle *vocalis* actionne le mouvement du ligament et des cordes vocales.

corde vocale est dépendante de la tension du muscle *vocalis* sous-jacent (figure 3.7). Plus le muscle est tendu, moins la surface est mobile. Lorsque le muscle est détendu, la surface de la corde vocale est capable de déplacement maximum. De même, la présence d'enflure entre le muscle et la couverture, restreint le déplacement.

Lorsque l'air expiré frappe la couverture des cordes vocales, il induit le déplacement passif de cette couverture, qu'on nomme l'onde muqueuse. C'est donc cette onde muqueuse qui forme la vibration de la corde vocale, et la fréquence de cette vibration qui engendre le son.

C'est la mobilité de la couverture de la corde vocale qui permet à l'air expiré d'induire une onde muqueuse lorsque les cordes vocales sont en contact.

À la lumière des connaissances actuelles, il semble que le son produit par les cordes vocales ne prend pas son origine dans une région spécifique des cordes ; il est plutôt constitué par la fréquence de vibration de la couverture, elle-même largement dictée par la tension musculaire du muscle vocal et du degré de rapprochement des deux cordes.

CONFIGURATIONS DU LARYNX

Les configurations types du larynx sont celles de la respiration et de la phonation, ainsi que les configurations particulières du chuchotement et du coup de glotte (figure 3.8, voir aussi les planches en couleurs).

La respiration comprend deux mouvements, soit l'inspiration et l'expiration, auxquels il faut ajouter une troisième configura-tion, celle de l'inspiration forcée. On distingue ainsi trois configurations propres à la respiration :

— à l'inspiration normale, les deux cordes vocales se déplacent latéralement et la glotte prend une forme triangulaire ;

— à l'expiration, chacune des deux cordes vocales se déplace vers le plan médian sans se rejoindre complètement ;

— à l'inspiration forcée, les deux cordes vocales et les aryténoïdes se déplacent latéralement au maximum et la glotte prend une forme pentagonale.

Dans la phonation, les deux cordes vocales se rejoignent au plan médian et il y a contact sur toute la longueur de la marge vibratoire de la corde.

Deux configurations permettent le chuchotement, soit une ouverture linéaire de la glotte ou une ouverture postérieure de la glotte. Dans les deux cas, il y a un rapprochement incomplet des cordes vocales et un échappement d'air.

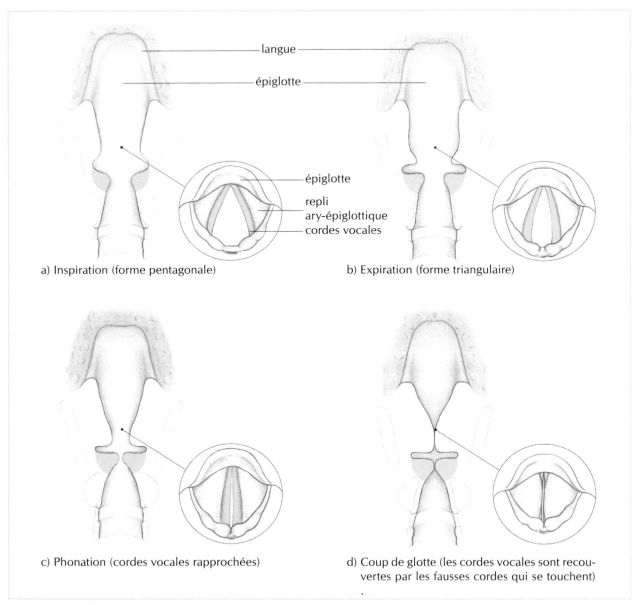

a) Inspiration (forme pentagonale)

b) Expiration (forme triangulaire)

c) Phonation (cordes vocales rapprochées)

d) Coup de glotte (les cordes vocales sont recouvertes par les fausses cordes qui se touchent)

Figure 3.8 Cordes vocales en position de respiration, de phonation et coup de glotte
(coupe longitudinale en vue postérieure et vue de dessus)

Le coup de glotte est une fermeture glottique forcée associée à une fermeture des fausses cordes. Le tout élève le larynx qui rejoint la base de la langue. C'est la configuration typique de la toux, de la déglutition et de l'effort physique.

Les configurations laryngées ne sont pas toujours symétriques. On découvre souvent des asymétries dans la forme et la fonction du larynx de manière fortuite lors de l'examen du larynx. Ces asymétries sont rarement sources de problèmes vocaux. Quelquefois, elles peuvent contribuer à l'identité vocale par l'originalité de leurs impacts sur les cavités résonatrices de la gorge.

MUSCLES DU LARYNX

Le chanteur n'en est pas toujours conscient, mais le chant est une mécanique complexe. De nombreux muscles gouvernent les cordes vocales (figure 3.9) :

— le muscle crico-thyroïdien ;

— le muscle *vocalis,* soit le thyro-aryténoïdien ;

— les muscles crico-aryténoïdiens ; ils sont au nombre de trois : le médial, le latéral et le postérieur ;

— le muscle interaryténoïdien.

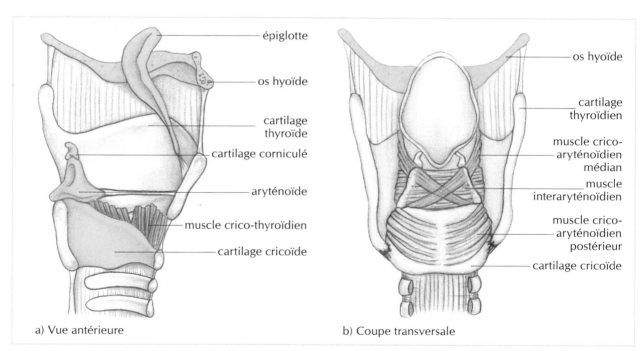

a) Vue antérieure

b) Coupe transversale

Figure 3.9 Muscles du larynx

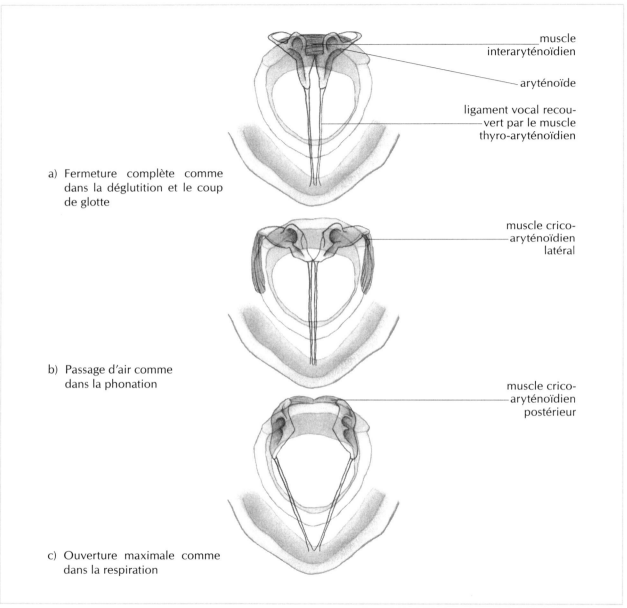

muscle
interaryténoïdien

aryténoïde

ligament vocal recou-
vert par le muscle
thyro-aryténoïdien

a) Fermeture complète comme
dans la déglutition et le coup
de glotte

muscle crico-
aryténoïdien
latéral

b) Passage d'air comme
dans la phonation

muscle crico-
aryténoïdien
postérieur

c) Ouverture maximale comme
dans la respiration

Figure 3.10 Mouvement des aryténoïdes sous l'effet des divers muscles aryténoïdiens

Tous les muscles sont à l'intérieur du larynx sauf un, le muscle crico-thyroïdien, qui lie les cartilages thyroïde et cricoïde sur leurs faces externes.

Par son action, le muscle cricothyroïdien bascule le cartilage thyroïde sur le cricoïde, ce qui lui permet d'étirer et de rapprocher les cordes vocales. Sa fonction est primordiale à l'obtention des notes aiguës, dans les hauts registres et dans le mode falsetto (fausset) (voir chapitre 4).

Le muscle thyro-aryténoïdien contrôle la tension de la corde vocale et sa fréquence de vibration, d'où son nom de *vocalis*, ou muscle vocal (figure 3.10).

Les muscles crico-aryténoïdiens médian, latéral et postérieur se conjuguent pour agir sur l'aryténoïde, ce qui a pour effet de déplacer les cordes vocales vers le plan médian ou latéral. Autrement dit, c'est leur mouvement qui permet d'ouvrir ou de fermer la glotte. Par leur action, les cordes vocales sont rapprochées et peuvent se mettre en vibration avec le passage de l'air expiré.

Le muscle interaryténoïdien est le muscle responsable du rapprochement maximal des deux aryténoïdes. C'est lui qui assure la fermeture forcée du larynx lors de la déglutition ou à l'effort.

Les muscles laryngés sont assistés dans leurs fonctions par le mécanisme de suspension élastique du larynx. Ainsi, lorsque la contraction d'un muscle cesse, un ligament élastique permet le retour à la position neutre sans effort musculaire.

RÉSONATEURS

Maintenant que l'on comprend mieux ce corps qui chante, on peut situer très exactement les résonateurs. Au sens strict, on l'a vu au chapitre 2, les résonateurs sont les diverses cavités de résonance qui sont situées le long du conduit vocal, du larynx jusqu'aux lèvres, et qui modulent les fréquences émises par les cordes vocales en les amplifiant, en les réduisant ou en les atténuant. En ce sens, on distingue les cavités de résonance glottiques et sus- ou supra-glottiques. Comme la terminologie des résonateurs fluctue beaucoup selon les auteurs, nous avons dressé un tableau pour en faciliter la compréhension (tableau 3.1).

RÉSONATEURS GLOTTIQUES

Les résonateurs glottiques sont situés au niveau des vraies et des fausses cordes, donc tout près de la source sonore. Le premier est constitué par l'espace entre les deux vraies cordes, que l'on appelle glotte. Cet espace n'est observable qu'en vue de dessus. Le deuxième est le creux situé entre le repli ary-épiglottique qui forme la fausse corde et la vraie corde vocale. Cette cavité ne s'observe qu'en coupe transversale.

RÉSONATEURS SUS-GLOTTIQUES

Les résonateurs sus-glottiques sont des régions du pharynx que l'on subdivise généralement en trois parties : le rhinopharynx, l'oropharynx et l'hypopharynx. Les fosses nasales agissent parfois comme résonateurs.

Tableau 3.1
Les résonateurs glottiques et sus-glottiques

Résonateurs sus-glottiques

Fosses nasales
Les fosses nasales contribuent exceptionnellement à la résonance.

Rhinopharynx ou nasopharynx
Partie supérieure de la gorge derrière le nez.

Oropharynx ou buccopharynx
Partie médiane de la gorge derrière la cavité buccale. Elle comprend tout l'intérieur de la bouche jusqu'aux lèvres, y compris la base de la langue, les amygdales et le palais mou.

Hypopharynx ou laryngopharynx
Partie basse du pharynx derrière le larynx, y compris le vestibule du larynx.

Résonateurs glottiques

Glotte

Espace entre les deux paires de cordes vocales

Ventricules de Morgagni

Espaces en creux entre les vraies cordes et les fausses cordes vocales

SENSATION DE RÉSONANCE

Le son ne vibre pas seulement dans les molécules d'air et dans des cavités ouvertes sur l'extérieur, mais aussi dans les structures osseuses, tendineuses et membraneuses du corps. Comme ces sensations sont très utiles aux chanteurs pour percevoir leur travail vocal et en augmenter la maîtrise, on en est venu à parler de résonances aussi pour désigner les vibrations qui se situent aussi bien dans la cage thoracique que dans les sinus ou le crâne. Ce ne sont pas des vibrations acoustiques qui se rendent aux auditeurs, mais des vibrations ressenties par le chanteur. Elles sont d'un grand intérêt pédagogique. On ne peut leur conférer le statut de résonateurs au sens strict, mais il est devenu courant dans l'enseignement du chant de les associer à la résonance et de préciser le trajet de ces résonances dans le corps du chanteur, selon que les sons sont aigus ou graves.

En registre de voix de tête, le chanteur ressent très bien le trajet de ses notes aiguës dans la boîte crânienne. De même, en registre de voix de poitrine, les ondes sonores se propagent dans les cavités situées sous la glotte (trachée, bronches) dont les longues formes tubulaires amplifient les longues fréquences, donc les sons graves. En voix amplifiée de type « belting », le son est centré ; il n'est pas rare que les chanteurs affirment ressentir les sons vibrer sur leurs dents (figure 3.11).

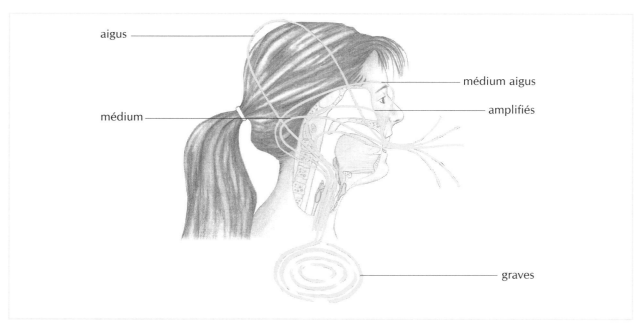

Figure 3.11 Trajet de la résonance des sons chez le chanteur

CHAPITRE 4

AI-JE ASSEZ DE SOUFFLE ?

L A MÉCANIQUE DU SOUFFLE QUI PERMET LA CRÉATION DES SONS parlés et chantés interpelle tout le corps. En effet, c'est l'ensemble du corps qui exerce la poussée d'air, et celle-ci serait tout simplement expulsée par la bouche si ce n'était de la vibration amorcée par le passage de l'air entre les cordes vocales. Les sons parlés ainsi engendrés sont ensuite articulés par la position de la langue, des joues et des lèvres pour former des mots. C'est ainsi que toutes les langues du monde requièrent un positionnement particulier de la musculature faciale.

Il en est de même pour la création des sons chantés. Toutefois, en plus des diverses positions de la langue, des joues et des lèvres, les configurations de tout le pharynx et de ses résonateurs prennent une importance majeure dans l'articulation des divers effets sonores. Le processus de production sonore se double donc d'une mécanique du souffle et d'une articulation des sons qui requièrent une très grande maîtrise. Or, contrôler son souffle et bien articuler les sons chantés ne sont possibles qu'avec un support musculaire très important conjugué à une capacité d'induire la détente musculaire dans toute la musculature fine de l'appareil vocal.

Il est désormais reconnu que le support du chanteur ne doit pas venir exclusivement de son diaphragme et de sa capacité pulmonaire, mais plutôt d'une conjugaison de tous les muscles du tronc, et même des jambes et des bras. Il est en outre indispensable d'y ajouter tout le support pelvien, trop souvent négligé dans la préparation du chanteur et même parfois inhibé par des consignes inadmissi-

bles comme celle de contracter les fesses. Rappelons-le, il s'agit de combiner un solide soutien musculaire à une détente qui, seule, peut susciter l'utilisation optimale de cette musculature en vertu de règles d'économie d'énergie. La seule partie du corps qui ne contribue pas de la même manière au support est le dos. Examinons donc toutes ces structures musculaires, en partant du haut vers le bas, pour mettre en valeur leur contribution au chant et offrir quelques pistes pour leur utilisation dans la préparation du chanteur.

MUSCLES THORACIQUES

Contrairement à ce que les gens pensent habituellement, ce ne sont pas les poumons qui aspirent l'air, mais plutôt un ensemble de muscles thoraciques qui se coordonnent pour augmenter le volume de la cage thoracique et abaisser le diaphragme (figure 4.1). Le diaphragme, tel un piston, crée alors un vide et abaisse la pression atmosphérique à l'intérieur des poumons. La pression de l'air pulmonaire se trouve alors plus basse que celle de l'air atmosphérique, et cette différence de pression

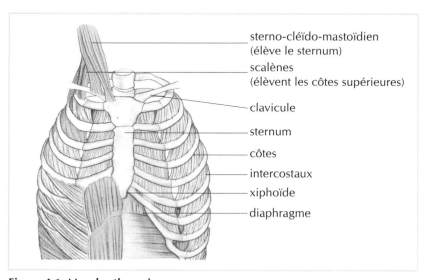

sterno-cléïdo-mastoïdien
(élève le sternum)

scalènes
(élèvent les côtes supérieures)

clavicule

sternum

côtes

intercostaux

xiphoïde

diaphragme

Figure 4.1 Muscles thoraciques

crée un appel d'air. C'est de cette manière que l'air se trouve automatiquement aspiré à l'intérieur des poumons lors de l'inspiration. À l'expiration, ce sont les muscles costaux qui compriment la cage thoracique et forcent l'expulsion de l'air par les poumons.

Il devient donc indispensable au contrôle de la respiration de renforcer les muscles thoraciques et d'améliorer la motilité de toute la ceinture scapulaire antérieure (figure 4.2). Tous les muscles impliqués dans la respiration, qu'ils contribuent à élever le sternum et les clavicules ou à soulever ou comprimer les côtes, gagnent à être entraînés systématiquement par le biais d'une respiration active consciente, et à être réchauffés avant toute prestation chantée. Les muscles en jeu sont les intercostaux intérieurs et extérieurs, les scalènes, le grand dentelé, le sous-clavier et le sterno-cléïdo-mastoïdien ; ils sont recouverts par une couche musculaire superficielle formée par le petit et le grand pectoral.

MUSCLES ABDOMINAUX

Les muscles abdominaux sont les grands et petits obliques, les grands droits et les transverses ; ils forment les parois antérieures et latérales de l'abdomen et sont d'une importance majeure pour le soutien de la voix (figure 4.3). Ce n'est pas un hasard si le chanteur doit, dès le début de son apprentissage, les mettre en forme grâce à des exercices précis.

Toute la mécanique des vocalises et des exercices vocaux repose sur la santé des muscles abdominaux. Comme dans un soufflet, si les parois sont molles et sans résistance, il n'y aura pas de pression suffisante pour propulser l'air dans le conduit vocal et il en résultera un manque de contrôle.

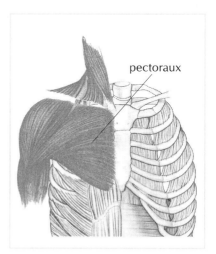

Figure 4.2 Muscles pectoraux

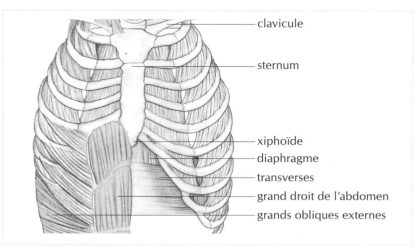

Figure 4.3 Muscles abdominaux

« Pour me réchauffer avant d'entrer en scène, je ne fais plus beaucoup de vocalises. Durant *Starmania*, comme je chantais tous les soirs, mon professeur de chant me recommandait de réserver ma voix pour le spectacle. Je me réchauffais tout de même un peu en me maquillant, mais pas vocalement. Je pratiquais plutôt des exercices pour le diaphragme afin de m'assurer une bonne solidité vocale : je m'allongeais, j'expirais complètement, puis je gardais mon inspiration. Je terminais par des exercices pour les abdominaux. »

Luce Dufault

Même si un chanteur a une bonne capacité pulmonaire et un bon contrôle de la musculature du cou et de la partie supérieure du tronc, il se fatiguera dix fois plus vite qu'un chanteur qui a développé un soutien maximal de sa partie inférieure. Toute faiblesse des muscles abdominaux est forcément compensée par une tension énorme à d'autres niveaux.

Étant donné que les muscles qui compensent le manque de soutien ne sont pas conçus pour jouer ce rôle, ils se fatiguent rapidement. Bien des problèmes de chant découlent d'un mauvais soutien abdominal ; cela va du manque de puissance aux notes fausses.

DIAPHRAGME

Situé entre la cage thoracique et l'abdomen, le diaphragme est un muscle plat et mince qui se rattache aux côtes à l'avant ainsi qu'à la colonne vertébrale et aux côtes à l'arrière (figure 4.4). Il adopte la forme d'un parapluie qu'on aurait déployé et coupé en deux, bref d'une moitié de dôme. Lorsqu'il est à l'état de repos, c'est-à-dire lorsque les poumons sont complètement vides, il est long et plat comme n'importe quel muscle (revoir figure 3.1). Lorsqu'il se contracte, il devient court et un peu plus épais. Comme le diaphragme agit de façon automatique, on n'en a aucune sensation ; c'est pour-

quoi il est difficile de le situer dans son corps.

Au moment où il se contracte, le diaphragme pousse les viscères vers le bas. Les viscères se trouvent prises entre le diaphragme et le bassin, et le ventre se gonfle. On peut donc mesurer l'entrée d'air dans les poumons en observant le déplacement des viscères vers le bas. Généralement, l'être humain emmagasine environ un litre d'air à chaque respiration, ce qui entraîne une augmentation à peu près similaire du volume de l'abdomen. On peut

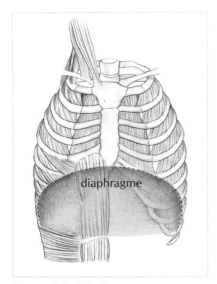

Figure 4.4 Diaphragme

ainsi constater les résultats de l'action, mais non l'action elle-même.

Étant donné que le diaphragme travaille en mode réflexe, un peu comme le cœur, il ne peut pas être stimulé de la même manière que les autres muscles du corps. Par contre, il est possible d'en commander indirectement le mouvement à travers des exercices de respiration.

Puisqu'on ne ressent pas le diaphragme comme on ressent les autres muscles, le chanteur ne devrait pas avoir l'impression, quand il respire, qu'il exécute quelque chose de spécifique. Il devrait plutôt avoir la sensation de se faire un massage à l'intérieur de lui-même, très bas dans la cage thoracique et très profondément au milieu de son corps.

Si la respiration est bien exécutée, elle lui procure généralement une détente au moment de l'inspiration ; c'est alors seulement que le chanteur peut prendre conscience de l'importance physiologique d'une bonne respiration.

RESPIRATION DU CHANTEUR

Il existe bien des manières de respirer selon les buts recherchés ; pensons à la respiration préparatoire à l'accouchement, par exemple. Mais le type de respiration qui prépare le mieux le chanteur accorde à l'inspiration et à l'expiration une égale importance. L'inspiration doit se faire comme le font les bébés, c'est-à-dire en gonflant le ventre tout en soulevant légèrement le diaphragme. L'expiration doit être retenue afin d'être aussi profonde qu'efficace dans la création harmonieuse des sons.

Respirer, c'est absorber de l'énergie, et chanter, c'est en dépenser. Le chanteur doit donc absolument prendre conscience que sa respiration doit se faire sans dépense d'énergie inutile. En ce sens, seule une détente profonde permet d'atteindre un maximum d'efficacité dans la respiration. De fait, la grande différence entre le chant et la parole, ce n'est pas nécessairement dans le souffle, mais dans la façon de contrôler l'expiration. Quand on parle, on a une

autonomie de 5 ou 6 secondes d'expiration alors que, pour une phrase chantée, cette autonomie s'étend jusqu'à 25 secondes. Le souffle n'est donc pas utilisé de la même façon. C'est pourquoi il faut développer et automatiser chez le chanteur une respiration profonde et détendue, comme dans le sommeil.

ÉMOTION ET VOIX

Il y a une autre raison importante pour que la respiration du chanteur soit la même que dans le sommeil ou chez les bébés. Il s'agit d'une respiration végétative où l'on n'est pas vraiment conscient de l'action et dont l'émotion est absente. Comme l'émotion se loge généralement au niveau du plexus solaire, elle bloque ou influence souvent le type et la rapidité de la respiration. Voilà pourquoi on respire bien en absence d'émotion.

On ne dira jamais assez l'importance de laisser passer l'émotion dans sa voix. Le secret ? C'est de faire porter l'émotion non pas par la respiration, mais par l'intention. C'est ce qui fait souvent la différence entre les chanteurs qui peuvent contrôler leur voix et ceux qui se laissent contrôler par leur voix.

CONTRÔLE DU SOUFFLE

Il est essentiel de bien contrôler son souffle en tenant compte de la morphologie du corps, notamment du pharynx et de ses composantes. Ce qui est caractéristique de la parole au plan sonore, c'est qu'on entend toujours un léger débit d'air. De plus, les cordes vocales ne se touchent pas de la même façon qu'en chant, si bien que la portée du son n'est pas aussi grande dans la voix parlée que dans la voix chantée.

Lorsqu'on chante, les cordes vocales sont beaucoup plus fermées et une plus grande pression d'air s'exerce sur elles. Cela permet d'avoir un souffle plus long et de plus longue portée. Si on observe ce qui se passe quand on parle, un plus grand volume d'air est projeté au début, et on assiste ensuite à un affaissement continu de la cage thoracique vers l'inté-

rieur. Quand le poumon est vidé, le sternum est rentré vers l'intérieur et le diaphragme est remonté. Automatiquement, la respiration reprend, le sternum revient vers l'extérieur, et le cycle recommence.

Par contre, quand on chante, on empêche le sternum de s'affaisser et le diaphragme de remonter. On s'efforce de rester le plus longtemps possible dans la position de la fin de l'inspiration, puisque c'est dans cette position que les poumons contiennent le plus d'air.

De cette manière, le chanteur se crée volontairement une réserve de souffle qu'il apprend à maîtriser et à expulser selon les besoins. Tout l'art du chanteur consiste donc à savoir contrôler cette expiration pour bénéficier des réserves d'air nécessaires dans les temps forts de la chanson. Au fond, le chanteur apprend à tricher techniquement pour s'assurer d'avoir beaucoup de souffle.

À la fin de l'inspiration, la position du sternum et de la cage thoracique est relative-

ment haute. Le résultat tangible de cette action, conjuguée à la contraction du diaphragme qui a poussé les viscères vers le bas et les côtes flottantes vers l'extérieur, est un très grand volume d'air. En gardant conciemment cette position, le chanteur s'assure d'avoir de l'air plus longtemps.

C'est à ce moment qu'il y a une contraction musculaire à la hauteur du nombril. Cette contraction est nécessaire pour la sortie du son, mais il ne faut pas croire que c'est le diaphragme qui effectue cette expulsion en force. Ici encore, c'est l'ensemble de la musculature et la structure générale du tronc qui exerce l'ensemble du soutien et permet une expiration contrôlée, puissante et efficace. Chaque partie de la musculation joue donc un rôle déterminant dans la maîtrise du chant et chacune doit être renforcée de manière appropriée.

APNÉE DU CHANTEUR

L'apnée, c'est l'arrêt de le respiration. On distingue deux types d'apnée : celle du plongeur et celle du dormeur. Dans la première, le plongeur gonfle ses poumons à leur capacité maximale pour disposer de la plus grande quantité d'oxygène possible lors de son plongeon. Le fait de retenir sa respiration durant un certain temps le place en situation d'apnée. Chez le dormeur, la profonde respiration et la puissante expiration sont suivies d'un temps plus ou moins long où il n'y a plus d'air dans les poumons et où il n'y a plus de mouvement, ni inspiration ni expiration. Le dormeur est alors en apnée.

L'apnée du chanteur correspond à celle du dormeur, mais elle s'en démarque du fait qu'elle est consciente. Elle vise à habituer les poumons à emmagasiner de plus en plus d'air et à développer une meilleure gestion du souffle. La respiration du chanteur comprend donc trois phases : l'inspiration, l'expiration et l'apnée.

Notons au passage que ceux qui souffrent de problèmes respiratoires peuvent bénéficier de ce type de respiration, car elle leur procurera un bien-être certain. Il en est de même pour les gens stressés qui cherchent une façon de relaxer.

En résumé, cette technique de respiration constitue un excellent travail sur le souffle et la voix car, tout en augmentant le contrôle des muscles thoraciques et du diaphragme, elle est un outil d'initiation à la conscience. Ses effets sont d'importance ; aussi faut-il l'aborder sous la supervision d'une personne compétente, qui en comprend les ramifications les plus infimes et sait user de psychologie.

MUSCLES DU DOS

Toutes les parties du chanteur, que ce soit l'avant, l'arrière ou les côtés doivent participer à l'action de chanter, puisque l'énergie se transmet partout dans le corps de manière circulaire et non pas verticale. Or, le dos est l'axe autour duquel tout est rattaché, et il est absolument primordial qu'il soit à la fois détendu et présent. Parmi les muscles du dos, on distingue les muscles qui contribuent à la motilité de la colonne vertébrale, de la ceinture scapulaire postérieure, ainsi que des bras (figure 4.5).

POSTURE POUR LE CHANT

Le dos est très important dans l'action de chanter et sa position doit être correcte. Souvent, un des premiers éléments que l'on remarque chez un chanteur, c'est sa position (revoir figure 3.2).

Qui ne connaît pas un chanteur au dos rond, sans tenue et sans posture stable. Une telle carence posturale nuit énormément à la production des sons chantés. Non seulement un dos rond dénote-t-il généralement une mauvaise forme physique, mais cela a pour effet de déplacer les épaules vers l'avant. La cage thoracique se trouve donc comprimée et en fermeture complète, ce qui est à l'opposé de ce que l'on attend d'un chanteur.

Le chanteur doit pouvoir s'appuyer solidement sur sa char-

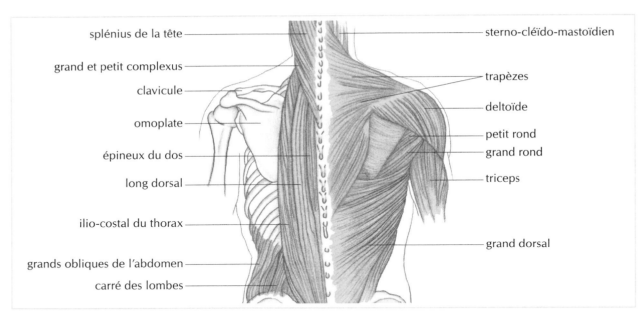

splénius de la tête

grand et petit complexus

clavicule

omoplate

épineux du dos

long dorsal

ilio-costal du thorax

grands obliques de l'abdomen

carré des lombes

sterno-cléïdo-mastoïdien

trapèzes

deltoïde

petit rond

grand rond

triceps

grand dorsal

Figure 4.5 Muscles du dos

pente, et ce, sans effort. Il doit y avoir de l'action sans tension. En ce sens, chanter est à la parole ce que le marathon est à la marche. Pour atteindre les plus hauts niveaux d'interprétation, le chanteur doit pouvoir répéter des milliers de fois l'action de chanter, tout en poussant son corps à son maximum d'efficacité avec un minimum d'efforts. Il lui faut donc absolument économiser son énergie en faisant en sorte de n'avoir aucune tension tout au long de

sa colonne. Seuls les exercices physiques exécutés en prenant conscience du dos peuvent remédier à un défaut de posture (voir chapitre 6). Une fois qu'il a été renforcé, le dos peut retrouver sa ligne verticale dans l'axe de la tête et du bas du dos et peut enfin jouer son rôle de soutien de la colonne vertébrale et de redressement du conduit vocal. Ce n'est qu'une fois le dos renforcé qu'il peut être véritablement détendu tout en restant vivant.

MUSCLES DU PÉRINÉE

Selon les auteurs, le périnée recouvre tout le plancher pelvien, c'est-à-dire la musculature superficielle et profonde entourant l'anus et l'urètre, ou se réduit à la musculature entourant les parties génitales. Nous retenons cette dernière définition. Quand on regarde le bassin osseux de dessous, on peut repérer quatre saillies osseuses qui forment le losange du plancher pelvien : le pu-

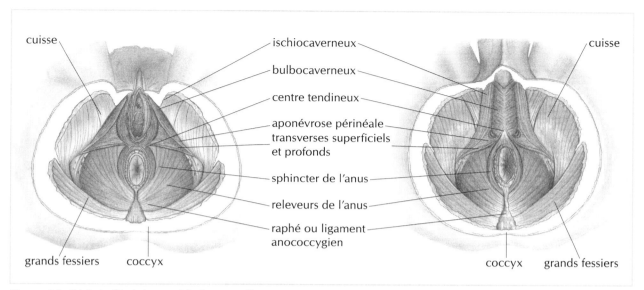

Figure 4.6 Périnée féminin et périnée masculin

Labels in figure: cuisse, ischiocaverneux, bulbocaverneux, centre tendineux, aponévrose périnéale transverses superficiels et profonds, sphincter de l'anus, releveurs de l'anus, raphé ou ligament anococcygien, cuisse, grands fessiers, coccyx, coccyx, grands fessiers

bis, le coccyx et les deux os des fesses, qu'on nomme ischions. Le périnée correspond au triangle antérieur entourant l'urètre (figure 4.6) chez les deux sexes.

Deux types de muscles composent le périnée : ceux qui peuvent se contracter et se décontracter, et ceux qui peuvent s'étirer de façon passive et élastique. Ils sont disposés en trois couches musculaires et vont du plus superficiel au plus profond. Le plancher musculaire pelvien correspond au plan plus superficiel et les sphincters reliés aux

orifices (anus, urètre, vagin) correspondent au plan plus profond.

Les muscles du plancher pelvien forment un réseau qui sous-tend de l'avant à l'arrière, du pubis au coccyx. Le bulbocaverneux s'étend du clitoris au centre tendineux, l'ischiocaverneux va du pubis à l'ischion, les transverses superficiels partent des ischions pour se rejoindre au centre tendineux. Les transverses profonds du périnée sont attachés aux deux branches ischio-pubiennes du bassin.

Les muscles profonds du périnée sont situés au niveau du petit bassin où ils forment une coupole — tout comme le diaphragme — qui soutient tous les organes pelviens. Ce diaphragme pelvien répond aux variations de pression de l'abdomen de manière passive et élastique. Il comprend le releveur de l'anus et l'ischiococcygien. Le releveur est un muscle puissant composé de deux groupes de faisceaux disposés autour des orifices ; il est très important pour le soutien. Un premier groupe de faisceaux étroits et épais part du pubis jusqu'au sommet de l'anus et assure un très important soutien viscéral ; le deuxième groupe se compose de larges faisceaux disposés latéralement qui partent du pubis et de l'ischion, entourent l'anus et se joignent au coccyx. L'ischio-coccygien est plat derrière le releveur et s'attache à l'épine sciatique, au sacrum et au coccyx (non visible sur la figure).

FONCTION DE PROPULSION

Le fonctionnement de l'ensemble musculaire pelvien sert de propulseur et seconde le travail du tronc qui, lui, poursuit le mouvement de propulsion. Ce sont toutes les parties du tronc qui doivent s'activer pour créer la synergie fonctionnelle permettant au chanteur d'être performant. Lorsque le chanteur recherche un complément de soutien, il doit trouver un point d'appui, et c'est à partir de son périnée qu'il doit le trouver. Le chanteur doit développer la sensation d'appuyer chacune des intentions vocales jusqu'au plancher pelvien, pour obtenir

l'impression que ses muscles pelviens génèrent la puissance, comme les manchons du soufflet. La stabilité, la force et la justesse des effets vocaux tiennent à cette importante capacité de soutien.

MUSCLES DU COU

Le cou se situe dans le prolongement supérieur du tronc, avec son cortège de muscles qui supportent le crâne, tout en se rattachant aux diverses structures osseuses du dos, du thorax et

des épaules (figure 4.7). Le cou doit absolument être renforcé, car c'est souvent à cause de faiblesses dans la musculature du cou que les chanteurs cherchent à compenser et se déforment la voix ; il n'est pas rare que des chanteurs populaires chantent de la gorge plutôt que de se servir de la projection et de la puissance que permet la détente d'un cou fort.

Par contre, la force de la musculature ne résout pas tous les problèmes. En effet, le squelette soutient davantage la tête

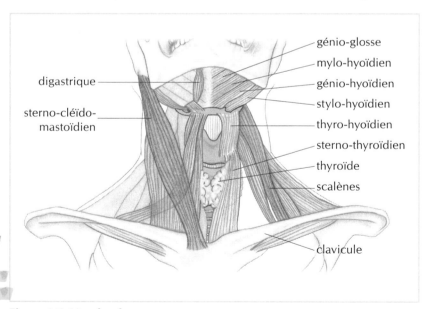

Figure 4.7 Muscles du cou

que la musculature du cou ; même si cette musculature joue un rôle important, elle peut devenir contre-productive si elle est le siège de tensions ou si elle est contrainte dans une mauvaise posture. Même chez les chanteurs en pleine forme, les tensions se logent souvent au niveau du cou et, quand le cou est tendu, il y a toujours des répercussions sur la musculature fine du larynx. Ce n'est pas un hasard si la structure du larynx est suspendue dans le cou par des structures ligamentaires plutôt que d'être attachée directement sur le squelette (revoir figure 3.4) ; sa mécanique est si délicate que la moindre rigidité en empêcherait le fonctionnement.

POSITION DE LA TÊTE POUR LE CHANT

Pour bien chanter, il faut donc réunir deux conditions : que la tête soit bien placée par rapport au tronc et que le cou soit naturellement détendu. Pour avoir la position adéquate lorsque l'on chante, l'axe vertical des oreilles doit être en ligne droite avec celui des épaules (figure 4.8).

Que penser des chanteurs dont les veines du cou font saillie quand ils chantent ? C'est un signe d'effort majeur. On observe la même chose chez les haltérophiles, et chacun sait la quantité incroyable d'efforts qu'ils doivent déployer pour arriver à lever des poids hors des normes humaines. Le chant n'exige pas de tels efforts quand le soutien vient du bon endroit au bon moment. C'est pour compenser certaines carences musculaires ou par ignorance que les chanteurs ont parfois tendance à soutenir leur son avec la mâchoire ou la langue, et c'est alors qu'on observe ce phénomène de gonflement du cou. On ne le répétera jamais assez : les seuls muscles faits pour soutenir sont les muscles thoraciques, pelviens, le diaphragme et les abdominaux, et non ceux de la gorge.

MUSCLES DE LA GORGE

La fonctionnalité des muscles de la gorge tient à ses étroites interactions avec le système respiratoire et l'appareil de phonation. Le travail spécifique du chanteur consiste à apprendre à utiliser les muscles qui actionnent les cordes vocales, ouvrent et ferment la glotte (vocalis), basculent les os du larynx (crico-thyroïdien, crico-aryténoïdien latéral, médian et postérieur, interaryténoïdien) et configurent les divers résonateurs glottiques et sus-glottiques.

OUVERTURE DE LA GORGE

Parmi toutes les techniques destinées à produire des effets vocaux, mentionnons l'importance de la technique de la gorge ouverte (gola aperta), dont l'efficacité est reconnue pour produire un timbre vocal que les auditeurs entendent comme résonnant pleinement, d'une manière équilibrée et sans artifice. Pour exercer les muscles de la gorge permettant cette ouverture recherchée, Richard Miller suggère de respirer en imaginant que l'on inhale profondément le parfum d'une rose. Il en résulte la posture

Intensité vocale

Quand la tête est droite, le pharynx a sa pleine mobilité, le souffle circule
sans entrave, et tous les résonateurs peuvent servir à l'enrichissement des harmoniques.

Déperdition du son

Quand la tête est levée, le souffle est dévié
vers les fosses nasales et la projection est nulle.

Perte des harmoniques

Quand le menton est avancé, la tension du larynx
restreint les capacités de résonance et brise le souffle.

Figure 4.8 Diverses positions de la tête et leurs effets sur la voix chantée

bucco-pharyngée propre à la gorge ouverte. Cette technique contraste avec celle réalisée au moyen du bâillement. Le début du bâillement fait naître une ouverture semblable, mais il n'est pas utilisable au plan pédagogique, parce qu'une fois le bâillement amorcé, on ne peut en maîtriser le déroulement. Dans les grandes écoles de chant, on lui préfère désormais la simulation de la respiration d'une fleur, d'autant plus que la sensation d'ouverture sans contrainte générée lors de l'inspiration persiste au cours de la phase suivante.

DÉTENTE DE LA GORGE

La plupart des dysfonctionnements vocaux proviennent d'une tension excessive et prolongée des muscles de la gorge. Le chanteur peut parfaitement ressentir cette tension, ce serre- ment dans les muscles entourant le cou et la gorge (figure 4.9). La tension peut aussi se manifester par une perte d'étendue vocale, par des variations dans la qualité vocale et par de la fatigue vocale. Alors que de reposer la voix peut apporter un soulagement temporaire, il n'est pas toujours possible pour le chanteur de simplement se concentrer sur les muscles de sa gorge pour les relâcher. Quelques fonctions réflexes peuvent être

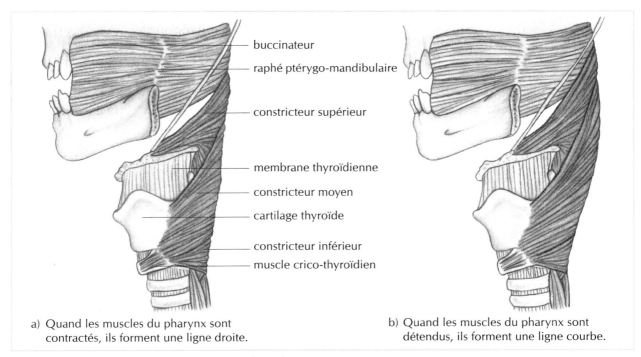

buccinateur
raphé ptérygo-mandibulaire

constricteur supérieur

membrane thyroïdienne
constricteur moyen
cartilage thyroïde

constricteur inférieur
muscle crico-thyroïdien

a) Quand les muscles du pharynx sont contractés, ils forment une ligne droite.

b) Quand les muscles du pharynx sont détendus, ils forment une ligne courbe.

Figure 4.9 Muscles du pharynx contractés et détendus

« J'ai dû apprendre à travailler diverses parties de mon corps ; j'ai fait des exercices pour le dos, d'autres avec les côtes ; j'ai aussi fait des exercices de respiration, et même appris à me soulever avec les côtes dorsales. L'endurance que cela développe permet de ressentir les notes dans tous les mouvements du corps. »

Laurence Jalbert

utilisées pour relâcher la tension des muscles du pharynx et induire une utilisation passive de la voix. Ces réflexes sont le bâillement et le soupir, le mâchement et l'avalement.

Même s'il ne peut servir à la technique vocale à cause des inconvénients mentionnés, le bâillement peut aider à relaxer le pharynx et être utilisé comme tel. L'inspiration à la fois profonde et prolongée du bâillement ouvre et détend la mâchoire et la gorge au maximum. Le soupir qui suit, durant l'expiration prolongée, est sans effort et exige un rapprochement minimal des cordes vocales ; le chanteur ne devrait

donc pas s'empêcher de bailler, car le bâillement lui fournit une bonne partie de la nécessaire expansion des poumons et améliore son oxygénation.

Bon nombre des tensions de la gorge peuvent être mises au compte de mâchoires serrées. Relaxer la mâchoire, la langue et les lèvres par l'action de mâcher permet d'ouvrir les résonateurs de la partie supérieure de la gorge. Mâcher d'une façon exagérée en bougeant la langue et en ouvrant la bouche tout en émettant des sons pendant quelques minutes aidera à libérer les mouvements de la mâchoire et à détendre le pharynx. Mâcher de la gomme et même souffler des bulles pendant quelques minutes est une manière facile de défaire les tensions dans la mâchoire et la bouche, tout en stimulant la salivation et l'hydratation des cordes vocales. Mâcher plus longtemps n'est toutefois pas recommandé parce que s'installe une fatigue musculaire qui, à la longue, peut entraîner un dysfonctionnement des joints de la mâchoire. Une tension constante de la mâchoire ac-

compagnée du grincement des dents durant le sommeil sont des problèmes courants. Cela peut être causé par le mauvais alignement de la dentition et une asymétrie de la mâchoire. Une consultation du dentiste permet de vérifier et de corriger le problème, s'il y a lieu.

Quand on avale, la partie inférieure du pharynx est forcée de se détendre et le larynx doit se relever pour permettre le passage de la nourriture dans l'œsophage. Une bonne manière de profiter de ce mécanisme passif pour soulager la gorge est de boire des petites gorgées d'eau suivies d'un soupir après avoir avalé. Il faut commencer par de petites gorgées et les grossir progressivement.

En plus de ces petits exercices faciles, plusieurs autres approches s'offrent au chanteur pour relaxer ses muscles du cou et de la gorge. Il peut répéter de profondes et lentes respirations ou faire un court programme d'exercices pour le cou, les épaules et les bras (voir chapitre 6). Cette routine devrait toujours faire partie de la préparation du chanteur tant pour le réchauffement que pour le repos, avant le spectacle et à l'entracte. Trop souvent, à l'entracte, ou entre les représentations, le chanteur fait une utilisation intensive de sa voix : il parle trop, avec l'entourage, avec les journalistes, etc. C'est une grave erreur. Dans ces moments-là, le chanteur devrait toujours se réserver un temps personnel privilégié.

MUSCLES DE LA BOUCHE

La bouche est une mécanique très complexe où chaque élément joue un rôle primordial dans le son qui est entendu. Elle remplit deux fonctions principales :

— elle sert d'abord de résonateur avec l'ensemble des cavités, des cartilages et des os qui la composent ;

— elle sert aussi d'instrument d'articulation et de prononciation.

Son rôle dans la création du son est tel qu'une simple lésion sur la langue, même légère, con-

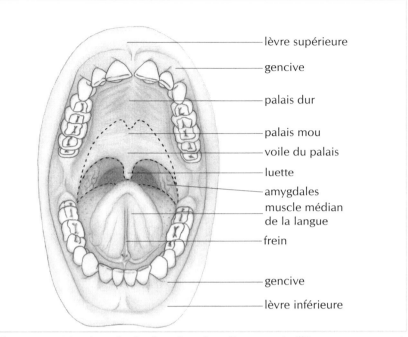

Figure 4.10 Muscles de la bouche. Les lignes pointillées montrent trois positions du voile du palais. En position basse, la luette n'est pas visible. En élévation moyenne, ce qui est le plus courant, la paroi laryngée et la luette sont visibles. En surélévation, le renforcement du voile améliore l'occlusion du naso-pharynx.

tribue à produire un tout autre son. C'est le même phénomène chez l'enfant à qui il manque une ou deux dents : sa diction et les sons qu'il émet en sont modifiés radicalement.

C'est dire la toute première importance de la bouche en chant. La moindre anomalie

dans la conformation ou les habitudes d'utilisation de l'un ou l'autre des muscles de la bouche affectera totalement la voix chantée (figure 4.10).

D'instinct, pour parler plus haut ou plus fort, on ouvre la bouche plus grande. C'est un réflexe naturel. La prononciation des

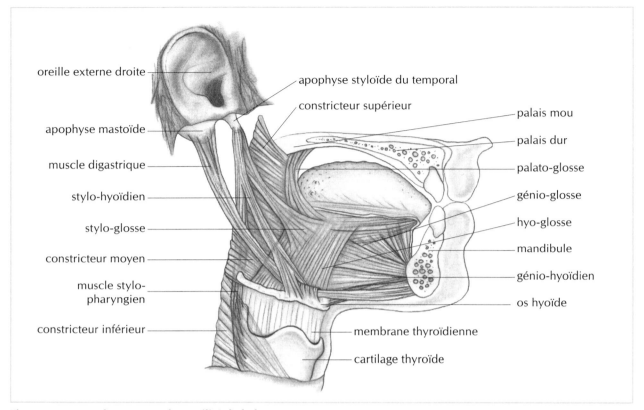

Figure 4.11 Muscles assurant la motilité de la langue

oreille externe droite

apophyse mastoïde

muscle digastrique

stylo-hyoïdien

stylo-glosse

constricteur moyen

muscle stylo-pharyngien

constricteur inférieur

apophyse styloïde du temporal

constricteur supérieur

membrane thyroïdienne

cartilage thyroïde

palais mou

palais dur

palato-glosse

génio-glosse

hyo-glosse

mandibule

génio-hyoïdien

os hyoïde

voyelles exige aussi d'ouvrir la bouche plus ou moins grande, selon le cas ; par exemple, pour le mot papa, la bouche s'ouvre complètement. Il en est de même pour le chant. Les règles de base pour le chant ne sont donc pas différentes des règles naturelles d'émission des sons.

C'est pourquoi le chant peut et doit se rapprocher le plus possible de la voix naturelle du chanteur. Un rendu complètement artificiel dénote un travail technique trop éloigné des fonctions normales des composantes anatomiques du corps humain.

MUSCLES DE LA LANGUE

On ne peut passer sous silence le rôle primordial de la langue dans la formation des sons. Sa fonction digestive est bien connue, mais sa contribution indispensable au langage l'est beaucoup moins. C'est grâce à sa partie la plus mobile, la pointe, que la langue sert d'organe du langage ; la souplesse et le contrôle de la pointe de la langue peuvent devenir des atouts majeurs en chant. Certaines techniques de chant permettent de faire des doubles et même des triples sons simultanément (chant polyphonique, tibétain, chant de gorge) grâce à un contrôle total de la langue.

Pourtant, on a beau utiliser de multiples fonctions de la langue, il n'en reste pas moins que c'est le muscle le plus souvent oublié dans la mise en forme du chanteur (figure 4.11). Heureusement, il existe plusieurs exercices développés pour la langue en rééducation vocale, en orthophonie, en yoga et ailleurs ; ils donnent tous de bons résultats.

Peu de gens prennent conscience que la langue n'est pas un muscle unique, mais un organe qui en regroupe 35, soit deux groupes de 17 muscles de chaque côté et un muscle situé entre les deux. Tout comme on a deux yeux, deux oreilles et deux narines, on a deux langues qui sont reliées entre elles par un muscle dit médian. De fait, tout notre visage est divisé en deux parties indépendantes l'une de l'autre. Cette réalité est facilement observable lorsque des personnes subissent une attaque du cortex cérébral et perdent l'usage d'un côté du visage. Il en va de même lorsque le dentiste anesthésie un côté pour pratiquer une opération : on sent très bien que les lèvres et la langue sont engourdies, anesthésiées, jusqu'au centre.

> « Il y a quelques années, j'ai eu une terrible grippe qui a tout de suite affecté mes cordes vocales. J'étais pratiquement aphone et je devais me produire sur scène ; comme il n'était pas question d'annuler les spectacles, je me suis demandé ce que je pourrais bien faire ! Une fois sur scène, je me suis rappelé les conseils de mon professeur de chant : « D'abord se calmer, respirer, se concentrer sur la prononciation, déposer les notes, surtout ne pas forcer. » Le conseil était bon, mais quelle discipline mentale ! »
>
> *Marie Michèle Desrosiers*

Selon Alfred Tomatis, le fonctionnement de la langue présente aussi de légères asymétries :

« La partie droite de la bouche, lorsqu'on parle avec la pointe de la langue, est plus sollicitée que la gauche. Lorsqu'on utilise la base de la langue, au contraire, l'asymétrie s'installe au profit de la face gauche. [...] Selon qu'on va parler « en avant » ou « en arrière », c'est la bouche droite ou la bouche gauche qui va travailler le plus. [...] Toutes personnes qui parlent bien parlent à droite. Cela ne veut pas dire que la bouche gauche n'est pas mise à contribution. En fait, elle fonctionne également et de manière synchrone. Simplement, elle effectue des mouvements de moindre amplitude. » *L'oreille et la vie*, p. 180-181).

Cette indépendance fonctionnelle de la bouche est encore renforcée par le fait que les deux côtés, bouche droite et bouche gauche, ont chacun leurs fonctions. Ainsi, selon que l'on parle en avant ou en arrière, c'est la bouche droite ou gauche qui travaille le plus. Lors de la phonation, ces muscles divisent aussi la cavité buccale selon un autre axe :

— la partie antérieure, qui s'étend du milieu de la bouche jusqu'aux dents ;

— la partie postérieure, qui va jusqu'au haut du pharynx.

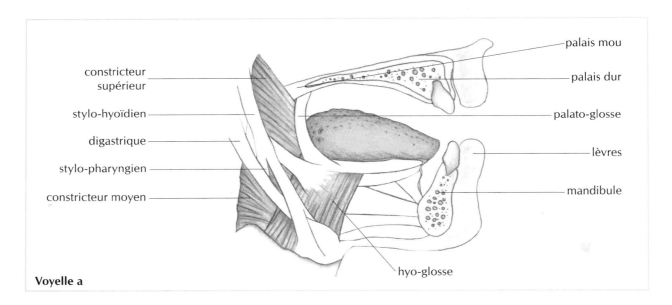

Voyelle a

palais mou
palais dur
palato-glosse
lèvres
mandibule

constricteur supérieur
stylo-hyoïdien
digastrique
stylo-pharyngien
constricteur moyen

hyo-glosse

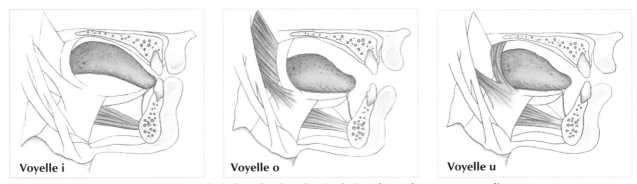

Voyelle i

Voyelle o

Voyelle u

Figure 4.12   Position de la langue et de la bouche dans l'articulation de quelques sons vocaliques

Entre ces deux parties de la langue se crée une barrière hypothétique qu'on peut sentir en prononçant en alternance les sons « gue » et « que ». D'ailleurs, lorsqu'ils ont à prononcer ces phonèmes, la plupart des gens ne savent pas où les placer : devant ou derrière la barrière ? Ce que les recherches démontrent surtout, c'est que la langue joue un rôle très particulier dans la phonation.

Dans le chant, cette notion est importante et tous les professeurs doivent être conscients de ce positionnement physiologique. Quand on chante, la langue est placée derrière les incisives inférieures de façon détendue et le centre est légèrement creusé, ce qui maintient le larynx à la bonne hauteur. La position de la langue est invariable dans l'émission des sons vocaliques : a, e, i, o, u, ou, ai, eu, oi, etc. (figure 4.12).

ARTICULATION

Les muscles de la bouche se conjuguent aux nombreux muscles de la langue pour assurer la précision des mouvements latéraux, obliques et d'avant / arrière si essentiels à l'articulation. Or, l'articulation est l'une des composantes majeures de l'apprentissage du chant. Beaucoup de chanteurs ont une technique vocale intéressante de prime abord, mais le développement de leur carrière reste limité parce qu'une carence significative de l'articulation empêche qu'on les reconnaisse comme des interprètes de haut niveau.

Tout en cherchant à rester naturel, on ne peut chanter comme on parle, familièrement. Il y a une différence majeure entre le langage parlé et chanté, du fait qu'en chant, les positions de la langue, des joues et des lèvres ne sont jamais accessoires ni inconséquentes. Si l'on veut que le son soit émis de la bonne façon, il faut d'abord le prononcer adéquatement. Par exemple, les sons « on » et « an » ne demandent pas les mêmes configurations faciales puisqu'ils ne sollicitent pas les mêmes muscles. Si l'on ne respecte pas cette base élémentaire, on risque de générer des erreurs.

Toutefois, les qualités d'une articulation ne se réduiront jamais à une question d'anatomie. En ce sens, il faut distinguer l'articulation correcte, où le mot pro-

> « Je n'écoute que deux chanteurs : Frank Sinatra et Nat King Cole parce que, pour moi, ce sont les deux plus grands professionnels de la chanson. Ils ont eu la chance non seulement d'avoir une belle voix et d'être de grands interprètes, mais ils ont vécu à l'époque de grands auteurs-compositeurs comme Cole Porter. Alors, que voulez-vous, je n'écoute que ces deux-là, parce que c'est la perfection. Le professionnalisme de Sinatra est extraordinaire. Je vous assure que j'ai pour ainsi dire décortiqué ses disques et je m'en suis inspiré, car c'est un homme qui savait ce qu'était la prononciation, c'est un homme qui savait ce qu'était la respiration et la diction (Radio-Canada, *Les Refrains d'abord*, 21 novembre 2003). »
>
> *Henri Salvador*

noncé est reconnaissable dans le son entendu, et la bonne articulation, où chaque moment d'un texte parlé ou chanté porte l'intention avec justesse.

En ce sens, il faut imprimer au chanteur une conscience aiguë que l'articulation a un impact et sur la technique vocale et sur la qualité de l'interprétation. Une articulation correcte des sons seconde la technique vocale en permettant une excellente projection. Une bonne articulation des mots seconde l'interprétation en permettant de faire ressentir les temps forts du texte.

Pour améliorer ses capacités à articuler, il faut donc s'astreindre à des exercices d'assouplissement et de renforcement des muscles faciaux (voir chapitre 6). Une fois la musculature faciale développée, on s'entraîne à articuler correctement grâce aux quelques exercices, efficaces à court terme, qu'utilisent habituellement les comédiens ou les lecteurs de nouvelles, bref tous ceux qui ont pour objectif d'être bien entendus et bien compris.

Un exercice facile consiste à prendre le temps de lire lentement le texte de la chanson en ressentant consciemment où se placent les syllabes et les consonnes de chaque mot. La simple illustration du placement de quatre voyelles, à la figure 4.12, montre bien la complexité des configurations qu'empruntent la langue, mais aussi les lèvres et l'ouverture de la bouche. Par exemple, la voyelle « a » se caractérise par l'ouverture de la bouche alors que la voyelle « i », par l'écrasement de la langue qui se rapproche du palais sans y toucher.

Pour s'assurer de ne jamais perdre de vue l'articulation, le chanteur peut prononcer les mots avec exagération. Sur une scène, celui qui chante comme s'il n'était en présence que de quelques personnes semble chanter sans énergie. Il paraît mou, ce qui enlève beaucoup d'attrait à sa prestation. Par contre, celui qui s'imagine devant une salle pleine exagère volontairement l'articulation de chaque syllabe et paraît plus dynamique, plus convaincu, et forcément plus convaincant.

Les sons articulés seront toujours plus efficaces s'ils s'accordent avec l'intention, mais ce mariage de l'articulation et de l'interprétation est un problème plus complexe. L'analyse des textes, la recherche du sens et l'identification à l'émotion du texte sont autant de moyens de projeter une émotion juste. Au point de départ, le chanteur devrait choisir des textes qui conviennent à son expérience, et le producteur devrait sélectionner le chanteur non seulement en fonction de ses capacités vocales, mais aussi de sa capacité à épouser le personnage et à faire siennes ses paroles.

En ce sens, il y a une part de risque dans l'interprétation de rôles dans une langue autre que sa langue maternelle. En comédie musicale notamment, l'Amérique et l'Europe francophones n'ont eu accès que tout récemment à un répertoire de pièces originales en français. Avant le *Starmania* de Luc Plamondon et Michel Berger, la comédie musicale était essentiellement d'importation américaine. Pour sa part, l'Allemagne est particulièrement avancée dans le développement des comédies musicales. À Munich, on joue des comédies musicales dans 30 théâtres spécialisés, ce qui serait inimaginable dans la francophonie. Comment s'y sont-ils pris ? Qu'elles soient d'origine américaine, française, canadienne ou québécoise, ces comédies musicales ont toutes été adaptées en allemand. Les producteurs et les metteurs en scène ont depuis longtemps compris l'importance de faire chanter les Allemands en alle-mand, afin de s'assurer que la compréhension du texte et du sous-texte soit totale, et l'interprétation optimale. De cette manière, les acteurs chanteurs peuvent s'approprier et rendre les émotions en s'assurant ainsi d'une articulation efficace.

Au Québec, on a eu longtemps tendance, même dans les milieux institutionnalisés, à critiquer sévèrement la traduction et l'adaptation. Encore aujourd'hui, quelques professeurs continuent de préconiser que toute œuvre doit être jouée dans sa facture originale. Le chanteur qui maîtrise deux ou plusieurs langues s'en tire très bien, mais plusieurs bons interprètes se trouvent ainsi privés de donner le meilleur d'eux-mêmes. Pour le chanteur unilingue, la solution réside dans le passage obligé par une adaptation dans sa langue maternelle et, une fois le sens profondément acquis, de chanter dans la langue de l'œuvre originale.

CHAPITRE 5

QUELLE EST MA VRAIE VOIX?

CONTRAIREMENT À CE QU'ON CROIT GÉNÉRALEMENT, PLUsieurs chanteurs ne connaissent pas leur vraie voix, et ce, pour plusieurs raisons. Certains, et même parmi les plus connus, ont fait carrière pendant des années sans vraiment savoir chanter. Certains ont altéré leur voix par une programmation vocale trop univoque, certains auraient dû rééduquer leur oreille, certains croient que seules les jeunes voix sont performantes, et d'autres ont souffert d'une voix mal classée ou mal placée. Dans d'autres cas, à force de vouloir du « naturel », on finit par se demander si la

> « Il y a tant de jalousie dans le métier qu'on peut assister à des gestes totalement injustes. J'ai déjà vu un chanteur être « démoli » par un professeur pour des fausses notes, alors que quelques séances d'un entraînement approprié en studio auraient suffi à rééduquer son oreille. »
>
> *Steeve Diamond*

technique vocale est utile en chant pop ou si une formation classique est nocive. Mais un chanteur n'a-t-il qu'une voix ? On lève ici le voile sur toutes ces fausses conceptions qui empêchent souvent les jeunes chanteurs de se donner la préparation vocale appropriée. On présente aussi les sons spéciaux que peut émettre une voix entraînée et quelques techniques vocales permettant d'harmoniser une carrière en chant pop, avec tous les effets vocaux actuellement prisés par le grand public, et la solide formation vocale qui en assure la longévité.

VOIX PARLÉE, VOIX CHANTÉE ?

Qu'on enseigne le chant ou qu'on l'apprenne, on peut vérifier si l'on va dans la bonne direction en cherchant à reconnaître la voix parlée dans la voix chantée. On doit toujours pouvoir reconnaître la personnalité du chanteur dans sa voix chantée.

Le chanteur doit donc veiller à ne pas déprogrammer par un apprentissage du chant inapproprié les caractéristiques harmoniques qui définissent sa voix. Il devra surtout éviter d'affecter dans sa voix parlée certaines des caractéristiques de sa voix chantée, car il perdrait ainsi tout son naturel. Bref, il ne faut surtout pas que le chanteur se sente devenir quelqu'un d'autre, ni lorsqu'il parle, ni lorsqu'il chante.

Comment exprimer ses émotions profondes si on a constamment le sentiment que c'est une autre personne qui chante ? Notre voix, c'est notre identité, notre passeport vers les autres.

SANS OREILLE, PAS DE VOIX ?

Faut-il avoir une bonne oreille pour chanter, ou bien chanter pour avoir une bonne oreille ? C'est encore la grande question actuellement. Rien n'est plus débattu par les spécialistes de la voix professionnelle que les liens qu'entretient l'oreille avec la voix. D'une part, plusieurs professeurs de chant, notamment en France, ont développé des approches fondées sur la préséance ou la prévalence de l'oreille, sous l'impulsion des écrits du Dr Tomatis, un laryngologue qui n'hésite pas à affirmer : « L'oreille parle, la voix écoute ». Ceux-là soutiennent que les chanteurs auraient en fait la voix correspondant à celle qu'ils aiment entendre (baryton, par exemple) et qu'une longue pratique du chant dans un mauvais registre finit par déformer l'écoute. D'autre part, des laryngologues nord-américains et européens, entre autres, s'entendent sur l'absence de preuves physiologiques et neurologiques à cet effet. Pour eux, la voix n'apprend pas à produire ce qu'entend l'oreille, mais l'oreille apprend à entendre ce que produit la voix. Il ne nous appartient pas ici de trancher, mais d'offrir des pistes utiles pour la formation d'un bon chanteur. Or, l'oreille s'éduque aussi bien que la voix. La pédagogie vocale qui fonctionne pour soi, qu'elle découle d'un courant de pensée ou un autre, est celle qu'il faut privilégier tant qu'elle est utile. L'important, c'est que le jeune chanteur ne se décourage pas s'il émet parfois de fausses notes. Sa vraie voix n'a rien à voir avec ces fausses notes passagères, et la rééducation de son oreille peut être faite relativement rapidement.

Pour mieux s'écouter, et même s'il a une bonne oreille, il aura besoin d'une écoute extérieure. Il ne faut pas qu'il sous-estime l'importance d'avoir un bon professeur de chant qui l'aidera à ne pas prendre de mauvais plis. Le professeur sera son miroir : il saura à la fois lui faire voir ses problèmes et lui donner une image positive de lui-même. Par ailleurs, tout chanteur doit être attentif à l'aménagement du son sur scène et à l'impact des bruits ambiants sur son interprétation. Il doit pouvoir s'entendre dans l'ensemble qu'il forme avec les musiciens et les spectateurs pour bien ajuster sa voix : c'est de la toute première importance.

VOIX JEUNES OU VIEILLES ?

Même si on entend de fort jolies voix chez les jeunes, les voix ne sont vraiment matures que vers l'âge de trente ans. Jusqu'à cet âge, le corps prend de la maturité, le larynx complète sa croissance et la maturation personnelle s'intègre dans l'expression du corps. Voilà pourquoi la voix se révèle tardivement. Malgré l'engouement compréhensible pour les voix d'enfants et la fascination pour les voix de castrats, on ne saurait trop encourager le jeune chanteur à rester patient, à ne pas forcer le jeu et à rester à l'écoute de sa voix pour la développer correctement.

Comme l'art du chant doit toujours conduire à chanter sans effort et avec plaisir, l'objectif

« Je suis arrivée à Montréal alors que je n'avais pas tout à fait dix-sept ans. À l'époque, je ne chantais pas : comme je disposais d'une formation de musicienne, mon but était de faire de la musique et je jouais dans des pianos-bars les fins de semaine avec une chanteuse que j'avais engagée. L'apprentissage du chant s'est fait plus tard dans mon cas, et quand mon premier album est né, j'avais passé 30 ans. J'ai d'abord appris à trouver la justesse de ma voix en me fiant à l'intuition naturelle qui m'a toujours habitée, mais une chose est sûre, dès que je l'ai découverte, ma voix est devenue un objet de fascination : plus j'apprenais, plus je constatais tout ce que je pouvais en tirer. À force de faire de la musique, d'écrire des chansons, de composer mes propres mélodies, j'ai voulu développer ma capacité à rendre avec ma voix toute la gamme des émotions possibles, alors j'ai fait en sorte d'en apprendre plus. J'étais très motivée, je voulais vraiment apprendre le chant. »

Laurence Jalbert

est d'arriver à chanter selon une technique vocale devenue réflexe à force d'entraînement.

En fait, avant que les automatismes laryngés soient suffisamment installés dans la mémoire musculaire pour que les prestations se déroulent avec naturel, il faut généralement compter cinq ans. Il faudra même quelques années supplémentaires de vocalises et de bonnes habitudes de repos vocal pour en avoir la maîtrise totale.

Autrement dit, pour qu'une voix se transforme en ensemble harmonieux et versatile permettant à l'artiste d'exprimer toutes les nuances du sentiment et de l'émotion, pour que le corps devienne un véritable instrument de musique, il faut y mettre la persévérance et la discipline vocale nécessaires.

Le chant ne peut donc s'enseigner en cours intensif de quelques mois, pas même en un ou deux ans. Le jeune chanteur, surtout s'il n'a aucune notion de musique ou de solfège, doit donc absolument résister à l'attrait de réclames d'écoles, de professeurs ou de méthodes autosuffisantes préenregistrées qui font miroiter des résultats rapides. Il doit trouver le moyen d'avoir de plus en plus de plaisir à chanter et à apprendre à chanter.

Au bout de quelques mois, les premiers résultats encourageants lui donneront généralement le goût d'aller plus loin. Plus il se servira de ses résonateurs et des parties de son corps qui lui servent d'appui et de soutien, plus il trouvera facile de parler et de chanter sans appuyer sur ses cordes vocales, plus il aura le désir de continuer son apprentissage.

En résumé, la voix est un instrument qui se développe très lentement. Le jeune chanteur vraiment déterminé à faire carrière doit donc s'attendre à apprendre « sa » voix toute sa vie. S'il vit des moments d'impatience, il pourra toujours se conforter dans l'idée la voix vieillit fort bien et cette carrière qu'il envisage peut durer jusqu'à la fin de ses jours pour peu qu'il le veuille. Peu de métiers vieillissent aussi bien.

MA VOIX EST-ELLE BIEN CLASSÉE ?

On ne compte plus le nombre de voix mal classées. Et ce phénomène n'est pas propre au chant populaire. Combien de chanteurs d'opéra ont chanté comme ténors ou sopranos avant de vivre des accidents vocaux qui les ont amenés à mieux utiliser leur voix ou à abandonner leur carrière ? En effet, il y a tellement de gens qui s'improvisent professeurs de chant sans avoir les connaissances requises que bien des voix ont été classées, donc entraînées, exercées, programmées au-delà des capacités physiologiques du chanteur.

Les conséquences peuvent être très graves pour le chanteur. Tant que la voix est exploitée d'une manière qui ne convient pas, les cordes vocales se blessent à répétition avec, pour l'artiste, les résultats désastreux que l'on sait : annulation de spectacles, soins médicaux, arrêt de travail, rééducation vocale, perte de revenus, quand ce n'est pas carrément l'abandon de la carrière.

Comment classe-t-on tradition-nellement les voix ? Pour le comprendre, il faut se référer aux notions de tessiture et de spectre acoustique abordées au chapitre 2, mais auparavant il faut poser la délicate question des registres.

REGISTRES

Si on fait faire une vocalise du plus grave au plus aigu à une personne qui n'a pas de forma-tion vocale, à un moment donné il y aura cassure dans la voix comme si on était en présen-ce d'une nouvelle voix. Chez tout chanteur inexpérimenté, on entend ce passage des sons de basses fréquences aux sons plus aigus qui fait appel à des configurations différentes du larynx.

L'endroit précis où est per-çue la sensation interne de ces configurations a long-temps servi à distinguer deux registres : la voix de tête, res-sentie dans la figure et le crâne, et la voix de poitrine, ressen-tie dans le thorax et la trachée. L'augmentation de la fréquence de vibration s'accompagne de

« Malgré tout, j'ai constamment eu des problèmes de voix. Quand je chantais avec mon groupe de musiciens, on me demandait de chanter en respectant très exactement la pièce originale. Alors je forçais ma voix, dans un contexte de bruit ambiant très élevé, d'alcool et de fumée, et je perdais souvent la voix. Un jour, un musicien rempla-çant a proposé de baisser la tonalité des chansons, et j'ai découvert que j'avais des basses et que je chantais tout en voix de tête. À ce moment-là, j'ai consulté mon professeur de chant et j'ai replacé ma voix dans la tonalité qui convenait à ma physiologie. »

Luce Dufault

changements dans la longueur aussi bien que dans la tension des cordes vocales.

Plusieurs auteurs contempo-rains distinguent en outre une voix moyenne, aussi appe-lée voix mixte, qui se situe entre les deux registres avec un passage inférieur et supé-rieur. Bien que d'autres auteurs en contestent l'existence sur la base que cette voix ne correspond pas à un mécanisme particulier de production des sons, il semble qu'en chant pop, la voix mixte soit bien réelle.

Quoi qu'il en soit, la transition des notes basses aux notes aiguës n'est pas toujours imper-ceptible : elle dépend du main-

tien de l'énergie vocale et du contrôle musculaire vers la nou-velle configuration laryngée.

Plusieurs éléments entrent en jeu dans la production des sons de ces deux registres, mais re-tenons surtout qu'en voix de tête, le muscle crico-thyroïdien est davantage mis à profit alors que le mécanisme laryngé uti-lisé en voix de poitrine se ca-ractérise par la prédominance de l'activité des muscles thyro-aryténoïdiens, dont le muscle interne constitue le muscle vocal.

Le passage de la voix de poitrine à la voix de tête est souvent brisé par un mauvais contrôle de l'action du muscle crico-

« Le travail sur ma voix n'a vraiment commencé que lorsque j'avais dix ou onze ans. Je suivais des cours de chant d'opéra pour apprendre à chanter et pour développer ma voix de tête. Plus tard, à l'université, j'ai eu la chance d'interpréter un rôle assez complexe dans un opéra qui s'intitulait *L'enfant et les sortilèges*, grâce auquel j'ai pu mettre en pratique tous les apprentissages de mes études en chant classique et améliorer mon étendue vocale. Aujourd'hui, je reste une chanteuse alto, c'est-à-dire que je peux aller aussi haut que mezzo avec ma voix de tête, mais pas avec ma voix de poitrine. »

Nanette Workman

thyroïdien. En effet, ce dernier ne peut agir efficacement si le larynx est tenu très élevé dans le cou, ce qui survient lorsque la voix de poitrine est forcée dans les hautes notes.

La transition d'un registre à l'autre ne survient pas à une fréquence, ou note, précise. Il y a plutôt une étendue de fréquences dans lesquelles le chanteur se sentira confortable pour amorcer la transition de sa voix de poitrine à sa voix mixte et sa voix de tête. Tout dépend des dimensions inhérentes au larynx et de la maîtrise musculaire. C'est pourquoi la transition s'effectue différemment chez la femme et chez l'homme. La coordination nécessaire pour maintenir le support expiratoire et la tension des muscles laryngés s'acquiert tout au long de la formation en chant.

Un mot aussi sur la voix de fausset, le (italien). On dit souvent des garçons qu'ils ont une voix de fausset qui les quitte après la mue. C'est une manière courante de se représenter ce qu'est cette sonorité : une voix imitant la voix féminine. Historiquement, le fausset a désigné des réalités différentes : la voix féminine, la voix de tête masculine au Moyen-Âge, la voix entre la voix de poitrine et la voix de tête. Actuellement, on le voit plutôt comme un mode de production de notes aiguës en voix de tête par un chanteur masculin. On s'entend aussi pour dire que le fausset peut soutenir la caractérisation de certains personnages, la création d'effets ponctuels et même la rééducation vocale (Miller).

L'esthétique du chant exige que le chanteur professionnel ne fasse pas sentir les passages. Tout l'art du chant repose dans la capacité à chanter harmonieusement dans les graves ou les aigus avec la même voix. D'ailleurs, les chanteurs à la voix plus travaillée diront qu'ils ont plusieurs « registres » où ils sont à l'aise, car ils auront appris à garder la même voix tout en allant, selon les cas, d'une voix de poitrine à une voix mixte ou encore à une voix de tête.

C'est pourquoi, même si le concept de registre est utile pour comprendre le déplacement des résonances dans l'appareil vocal et l'importance de la coordination musculaire, les professeurs de chant américains et européens qui dirigent actuellement les plus grandes voix, les Titze, Sadolin, Sundberg et Riley, abandonnent ces catégories au profit d'exercices vocaux sur mesure, conçus expressément pour chacun des chanteurs, selon sa physiologie, son emploi du temps, les conditions environnementales dans lesquelles il vit et travaille, ainsi que les effets sonores désirés, que ce soit le « son » *country* ou celui du ténor dramatique.

En ce qui a trait à la technique vocale, on recommande donc fortement au jeune chanteur de mettre à profit et d'exercer tous les muscles du larynx pour réussir à produire le plus vaste éventail de sons possibles. Cela ne l'exempte pas, toutefois, pour des raisons pédagogiques, de santé vocale et de répertoire, de bien identifier la zone de confort dans laquelle il peut chanter sans forcer sa voix et sans risque de blessures.

CLASSIFICATION

Le classement des voix a d'abord servi à la distribution des rôles pour les divers personnages masculins et féminins à l'opéra. Pour jouer tel rôle, il faut être ténor, pour tel autre, mezzo. Aussi n'est-il pas étonnant que la classification de la voix préoccupe les jeunes chanteurs à la recherche d'un répertoire. Souvent, ils consultent un laryngologue dans l'espoir que l'anatomie de leurs cordes vocales et de leur gorge dicte une fois pour toutes une catégorie définitive. Ils le font parce qu'ils entretiennent l'idée préconçue que c'est la longueur de leurs cordes vocales qui détermine leur type de voix et ils s'attendent à ce que ce soit le laryngologue qui en établisse les paramètres.

Il est vrai que la longueur des cordes vocales détermine une partie des caractéristiques du son, mais la classification d'une voix doit également tenir compte de la qualité de cette voix et de sa hauteur. Autrement dit, le rôle des résonateurs, l'étendue des fréquences perceptibles entrent autant en ligne de compte que la fréquence fondamentale produite par la vibration des cordes vocales. Il revient donc plutôt au professeur d'établir le classement d'une voix.

En général, les cordes sont plus longues chez les hommes (18 à 24 mm) que chez les femmes (14 à 19 mm) et correspondent à des voix plus profondes. Toutefois, déterminer la longueur des cordes vocales par un examen direct n'est pas une mince tâche, car le laryngologue ne doit considérer que leur membrane vibrante et ne rendre compte que des variations de longueur dues à la contraction des muscles vocaux.

De toute façon, la longueur des cordes vocales n'est pas le seul facteur qui influence la hauteur de la fréquence fondamentale : les changements de tension des muscles vocaux sont aussi en cause.

La forme et le volume des cavités buccales résonnantes sont également importantes puisqu'elles colorent la voix. Théoriquement, pour une longueur de corde donnée, la voix est perçue comme plus sombre si l'appareil vocal est plus long. Jusqu'à un certain point, les chanteurs peuvent contrôler la longueur de leur appareil vocal résonant en soulevant ou en abaissant leur larynx, ou en contractant leurs lèvres. En conséquence, il faudrait pouvoir fonder la classification de la voix sur des paramètres physiologiques dynamiques, mais il n'existe aucune méthode scientifique rigoureuse pour y arriver. Pour l'instant, il y a consensus sur trois critères : la tessiture, le passage et le spectre acoustique de la voix.

La tessiture est l'étendue des notes qu'un chanteur peut produire avec le maximum d'aisance. Les classes de tessiture sont les mêmes pour le chant classique et de variétés, sauf que leurs limites inférieures et supérieures sont différentes. En fait, elles sont toujours un peu plus basses en chant pop (tableau 5.1). Par ailleurs, avec la technique dite du « belting », on peut élargir cette étendue vocale vers les aigus.

Quoi qu'il en soit, les étendues données ici le sont à titre indicatif puisqu'elles varient selon les auteurs, autant en chant classique qu'en chant pop. Par exemple, en chant classique, selon trois auteurs différents, les basses ont diverses étendues :

do2 à si3	C2 à B3
do2 à do4	C2 à C4
si*b*1 à ré5	B*b*1 à D5

et les ténors aussi :

fa1 à ré3	F1 à D3
fa1 à mi3	F1 à E3
ré1 à fa#3	D1 à D#3

Autant de raisons de rester prudent quant à la classification d'une voix à partir de la seule tessiture.

Le spectre général de l'énergie acoustique de la voix comporte des fréquences engendrées par les cordes vocales qui, on l'a vu au chapitre 2, créent des formants sous l'action des résonateurs. Il existe une méthode de classification de la voix chantée

Tableau 5.1
Classement des voix en chant classique et en chant pop*

Voix	Notation anglo-saxonne		Notation classique	
Homme	Chant pop	Chant classique	Chant pop	Chant classique
Basse	E2 à E4	E2 à E4	mi2 à mi4	mi2 à mi4
Baryton	G2 à G4	A3 à A5	sol2 à sol4	la2 à la 4
Ténor	C3 à C5	C3 à C5	do3 à do5	do3 à do5
Femme				
Alto	G3 à G5	E3 à E5	sol3 à sol5	mi3 à sol5
Mezzo-soprano	G3 à A4	A3 à A5	sol3 à la5	la3 à la5
Soprano	A3 à B6	C4 à C6	la3 à fa6	do4 à do 6
Belting	G2 à E4		sol2 à mi4	

* Équivalences entre les notations classique et anglo-saxonne : A = la, B = si, C = do, D = ré, E = mi, F = fa, G = sol

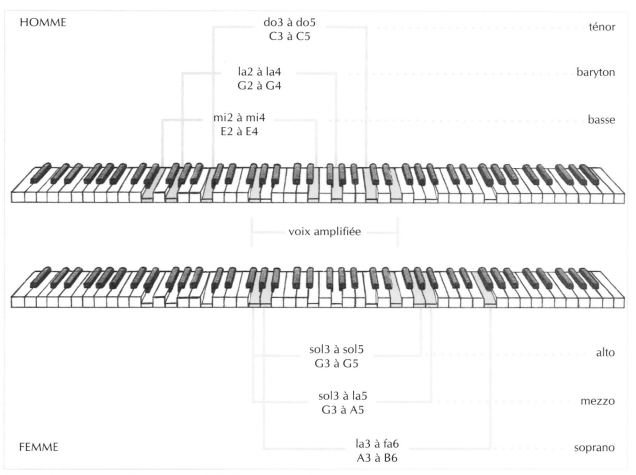

Figure 5.1 Classement des voix selon la tessiture, en chant pop

« Quand j'étais jeune, je chantais sans arrêt, partout, et je faisais de la musique. J'avais sans doute une voix naturellement placée. À mes débuts, les cours de voix n'existaient pas. Dans la mentalité de l'époque, seuls les chanteurs classiques devaient prendre des cours. On chantait comme on le jugeait bon, si bien qu'après plusieurs années de chant, nos mauvaises habitudes vocales finissaient par fatiguer notre voix. »

Marie Michèle Desrosiers

« J'ai pris des cours de chant dans une école de musique privée, puis avec notre reine de la chanson, Lucille Dumont : ce fut une période très technique. La vieille école, quoi ! On parcourait la théorie, les dictées et le solfège. Après, je me suis inscrite au programme de musique du Cégep de Saint-Laurent, et j'y ai reçu une formation extraordinaire ! Les professeurs étaient vraiment dynamiques. On m'y a enseigné la technique vocale, mais on faisait surtout des exercices pour placer la voix dans des contextes harmoniques et d'improvisation. Avoir une connaissance du chant classique m'a beaucoup aidée à utiliser ma voix de tête et à trouver un équilibre dans le passage entre ma voix de poitrine et ma voix de tête. »

Ariane Moffatt

masculine qui a été élaborée à partir de la moyenne des formants mesurés à partir de l'interprétation d'un long extrait. Ce genre d'analyse acoustique peut supporter un classement et constituer une aide pédagogique valable en soulignant l'importance de l'action des résonateurs vocaux dans le développement des formants et l'enrichissement de la production sonore.

Mais, en somme, la classification juste de la voix découle de la mise en valeur de la réalité physique du chanteur grâce à un bon apprentissage vocal. Il faut donc s'abstenir d'effectuer une classification prématurée, car la tessiture et l'étendue vocale d'un chanteur inexpérimenté ne sont pas suffisamment développées.

Rappelons que la classification des voix vise à orienter les chanteurs vers le répertoire qui convient le mieux à leur potentiel anatomique et physiologique. Pour les besoins des divers rôles dramatiques dans les opéras ou les comédies musicales, il est souvent indispensable de raffiner le classement des voix en s'appuyant sur le timbre. Or, le timbre s'entend bien plus qu'il ne s'explique. Les laryngologues peuvent donc fournir une aide en corrigeant les pathologies nuisibles aux cordes vocales, mais seuls les professeurs de chant compétents et expérimentés peuvent réussir un bon classement de voix.

MA VOIX EST-ELLE BIEN PLACÉE ?

Placer sa voix, ou placer son « son », signifie tout simplement prendre conscience de l'endroit où se trouvent les sensations de résonance créées par les vibrations du chant, pour pouvoir amplifier le son laryngé de manière optimale en fonction du résultat recherché. Cette association entre l'émission vocale et les sensations de résonance peut se produire au niveau du thorax, du sternum ou dans l'ensemble des os du visage, selon la technique utilisée.

En fait, il arrive souvent que des professeurs préfèrent une voix placée à un endroit plutôt qu'à un autre et demandent au chanteur, par exemple, de placer le son devant (dans la bouche, dans le masque ou dans le front) ou derrière (à l'arrière de la gorge ou de la tête). Il nous apparaît imprudent de cibler une cavité de résonance plutôt qu'une autre ; on l'a dit, en chant de variétés, le chanteur doit pouvoir obtenir le confort maximal là où se situe son potentiel vocal, mais aussi la versatilité nécessaire pour la création d'effets sonores particuliers ou l'interprétation de rôles variés dans la comédie musicale.

Tout chanteur débutant doit d'abord faire l'effort de ressentir les vibrations qu'il crée, soit naturellement, soit avec les habitudes qu'il a prises depuis qu'il chante, pour prendre conscience des limitations de ce son et élargir son utilisation des diverses cavités de résonance.

Il va sans dire que l'exercice de « placer » sa voix, de l'identifier, fera inévitablement ressortir ses problèmes de contrôle du souffle. Un chanteur qui respire mal utilisera inadéquatement sa colonne de souffle et ne ressentira pas ou peu de vibrations au niveau du thorax ou du sternum. Selon les résonateurs utilisés, le chanteur obtient des résultats fort différents : ses harmoniques peuvent être plus ou moins réduits, son timbre

« Avec mon professeur de chant, le Pr William Riley, qui est lui-même musicien, je me suis éveillée aux sonorités infinies qu'on peut donner aux mots, aux sons, en changeant la position de la langue, des lèvres et des joues. Il m'a montré comment appuyer ma voix dans le masque, comment la placer en tête, comment utiliser mes résonateurs de la poitrine et de la face. Il tirait de moi des sons que je n'avais jamais entendus de ma vie, que je n'avais jamais pensé pouvoir produire. Grâce à lui, je découvrais un nouvel univers musical, vaste, fascinant. Il m'a aussi aidée par des exercices d'assouplissement à me débarrasser d'un son nasillard qui était resté dans ma voix malgré mes nombreux efforts pour le corriger. »

Céline Dion

peut être affecté. Un professeur ouvert aux objectifs de style et de carrière de son élève saura choisir les techniques adéquates pour l'amener à varier et à coupler ses résonateurs jusqu'à ce qu'il atteigne un équilibre de la résonance et se serve de tout son appareil vocal.

MA VOIX EST-ELLE CLASSIQUE OU POP ?

Longtemps, la seule formation en chant a été une formation en chant classique. La plupart des chanteurs pop ne croyaient pas utile de se former vocalement et, quand ils le faisaient, leurs

professeurs de chant avaient forcément été à cette école.

On a longtemps reproché au chant classique ses langues étrangères, ses mots inaudibles, ses voix de cathédrale, sa fermeture et ses préjugés par rapport au chant pop. Dans les conservatoires et les universités, on demandait aux chanteurs lyriques de ne pas chanter du jazz ou du blues pour « préserver » leur technique vocale. Tout cela est en train de changer. En effet, le chant pop gagne de plus en plus d'adeptes sur le plan de la formation vocale et inspire de plus en plus de respect chez les interprètes classiques.

« J'aime bien chanter les chansons classiques napolitaines puisque j'adore l'italien et je trouve que la technique classique, au niveau vocal, se transpose mieux en italien qu'en français à cause des voyelles ouvertes. Il y a moins de mots et la mélodie semble toujours faite pour la rondeur de la voix. »

Steeve Diamond

« Pour améliorer ma voix, j'ai vraiment beaucoup travaillé ! J'ai suivi régulièrement des cours de chant pour me donner une base. Au début, je trouvais que ça « sonnait » trop opéra, trop classique. Mais il ne faut pas avoir peur de « sonner » classique. Avoir une bonne technique, c'est la base. J'ai mis des années à comprendre ce qu'est une bonne technique vocale. Et le fait d'avoir fait des exercices vocaux m'a énormément aidée. Avec une formation sérieuse, on peut faire ce qu'on veut, que ce soit du jazz ou du rock, parce qu'on comprend le fonctionnement de sa voix et qu'on fait en sorte de ne pas l'abîmer. La voix, c'est le miroir de ce qu'on est, donc il y a des périodes où la voix est plus riche ou plus pauvre en couleur. L'art du chanteur, c'est de composer avec tout ça ! »

Marie Michèle Desrosiers

Désormais, le mélange des genres est courant.

Pendant ce temps, des pionniers de la pédagogie vocale éliminent la barrière des registres, des passages et des répertoires, et un nombre grandissant de professeurs de chant refusent de s'enfermer dans l'opposition technique classique / technique pop. Ils mettent plutôt d'avant une pluralité d'exercices vocaux, à utiliser selon les effets à produire, les rôles à jouer, les sens à véhiculer ou les émotions à projeter, donc un ensemble de techniques variées pour tous les styles musicaux. Rien n'empêche un chanteur, par exemple, d'utiliser sa voix de fausset pour caricaturer un personnage dans une comédie musicale. Rien n'empêche d'intégrer un son de chant de gorge dans un style métal. Les nouvelles originalités vocales tiennent désormais à la fusion des styles.

Il faut néanmoins respecter les styles musicaux. Rien n'est plus désagréable que d'entendre un chanteur classique chanter de la chansonnette avec une voix surprogrammée qui ne rend pas l'émotion du texte, ou d'entendre un air d'opéra chanté par un chanteur de variétés sans respect pour les règles de l'art lyrique. Tout réside dans l'adaptation de la technique au répertoire.

Il arrive qu'on encourage le chanteur classique à persévérer dans sa formation vocale, alors qu'il souhaite chanter un répertoire de variétés, en alléguant que sa technique le lui permettra un jour. Il serait préférable de lui dire la vérité. Avec le temps — qui est long, on le répète — et l'apprentissage des techniques appropriées, tout chanteur peut finir par bien chanter le répertoire qui l'intéresse, tout en protégeant ses cordes vocales et en produisant les effets désirés, que ce soit du blues, du jazz, de l'opéra, du gospel, du rock, du pop ou de la comédie musicale. Ce n'est donc pas la voix en soi qui est classique ou populaire. Les nouvelles pédagogies vocales permettent justement de ne pas programmer la voix dans une seule direction et de la préparer à une variété d'expressions.

N'AI-JE QU'UNE VOIX ?

Le chanteur n'a donc pas qu'une voix. Il maîtrise différentes configurations laryngées et il passe de l'une à l'autre en souplesse et en grâce pour créer les effets vocaux souhaités sans fatigue vocale, sans perte d'harmoniques et sans diminution d'intensité. La plupart des chanteurs qui ont fait de la comédie musicale ont été à même de constater ce fait. Leur succès tient au fait qu'ils ont su, souvent sans formation, adapter leur voix aux caractéristiques sonores recherchées en comédie musicale.

En conséquence, il n'existe pas non plus de technique idéale

« J'ai chanté dans *Sand et les romantiques* comme je chante mes propres chansons. Quand j'ai fait *Notre-Dame de Paris*, la musique était beaucoup plus explosive, plus classique, et j'ai opté, à cause du personnage, pour une voix plus classique. Je sais comment aller chercher ce genre de sonorités sans utiliser la gorge. Je la faisais couler bien davantage, et ce n'était absolument pas exigeant pour ma voix. J'ai d'ailleurs chanté sept spectacles par semaine pendant des semaines et des semaines. Je n'ai jamais senti de fatigue vocale. Je chantais vraiment avec une voix de tête bien arrondie par le coffre, qui ne faisait aucun effort. Quand j'ai commencé à travailler *Le petit Prince*, j'ai d'abord pris ma voix de *Notre-Dame de Paris*, mais c'était ma voix à moi que les producteurs voulaient que j'utilise. J'avais oublié comment chanter de cette façon. Cela m'a pris plusieurs jours de travail sérieux pour retrouver mes harmoniques. Dans cette comédie musicale, le travail vocal était beaucoup plus subtil, plus récité. Il fallait donner beaucoup d'importance à chaque mot, et la seule façon d'y parvenir était de le faire à la façon du chant populaire, c'est-à-dire chanter son texte en mettant de l'emphase sur chaque mot. Il n'y a pas d'autres façons de le faire. La façon classique ne permet pas du tout cela, c'est tellement technique que le texte ne vient plus du cœur, il vient de la tête. »

Daniel Lavoie

pour toutes les voix. La preuve, c'est que certains chanteurs populaires qui ont une formation classique, ont tiré profit de ces enseignements, ne serait-ce que pour mieux respirer ou réchauffer leur voix.

Par ailleurs, il n'est pas rare que l'approche d'une technique soit critiquée pour n'avoir pas les

effets escomptés. C'est que la technique doit être personnalisée au fur et à mesure de sa pratique. Une bonne technique de chant bien adaptée aura toujours pour effet de développer la voix sans la briser. Toutefois, et il est utile d'insister sur ce point, toute technique aura pour effet de faire apparaître des effets de voix particuliers

« Il y a quinze ou vingt ans, il n'y avait pas de lieu de formation pour les gens qu'on invitait à faire de la comédie musicale. Les vedettes que l'on connaît aujourd'hui — et qui ont fait de la comédie musicale —, ont dû apprendre le métier sur le tas avec tout ce que cela comporte de risques, car ces artistes n'avaient aucune formation spécifique pour ce type de prestation. Bien sûr, ils savaient chanter, mais chanter tout en étant comédien — et souvent aussi danseur — augmentait de beaucoup le niveau de difficulté. »

Bruno Pelletier

qui auront une influence sur les prestations. Le jeune chanteur devrait par conséquent faire son apprentissage en diversifiant ses techniques vocales afin de tout faire avec sa voix, quitte à choisir plus tard de chanter dans le style musical et vocal qui lui plaira, sachant qu'il pourra en respecter les règles harmoniques. Il sera toujours temps de se spécialiser.

La nature de la prestation dans le domaine des variétés et celle du chant classique sont tout de même suffisamment distinctives pour imposer à la préparation vocale des contraintes particulières (tableau 5.2). Le jeune chanteur doit pouvoir choisir son répertoire en fonction de ses affinités et s'assurer de se donner la formation qui convient. Il tirera également profit d'une meilleure connaissance des sons spéciaux et d'une brève introduction à des techniques de raucité et d'amplification prisées dans la musique pop.

Tableau 5.2
Caractéristiques de la prestation classique et pop

Chant classique	Chant pop
Le chanteur classique :	Le chanteur populaire :
• est choisi pour les rôles qui correspondent à sa voix ;	• choisit son registre et son répertoire, sauf en comédie musicale :
• chante sans micro ;	• chante avec micro ;
• utilise d'abord la voix de tête, puis les autres registres ;	• utilise la voix de poitrine et la voix mixte, et se sert de la voix de tête pour créer des effets ;
• s'attarde aux voyelles :	• s'attarde aux consonnes ;
• laisse de côté l'articulation au profit de la production des notes aiguës ;	• a une voix chantée plus proche de sa voix parlée ;
• fait passer l'émotion du texte après l'esthétique vocale ;	• met l'emphase sur l'émotion au détriment de la technique vocale ;
• doit tenir compte de la tradition lyrique et a moins de liberté d'expression ;	• jouit d'une grande liberté d'interprétation ;
• prend moins de risques physiques et bouge moins sur scène.	• doit faire preuve de créativité et d'originalité pour se démarquer ;
	• prend plus de risques physiques et bouge beaucoup sur scène.

Les caractéristiques de la prestation en chant classique et en chant pop diffèrent surtout par la distribution des rôles et la façon de projeter sa voix. Voici quelques distinctions généralement acceptées (tableau 5.2). Elles ne s'appliquent pas à tous les chanteurs : certains, comme Callas par exemple, savent, au-delà de la technique, faire partager l'émotion.

SONS SPÉCIAUX

Que ce soit en classique ou en pop, on utilise volontairement ou non les sons spéciaux que sont le vibrato, le trille et le trillo. C'est parfois pour produire des effets sonores intéressants, parfois pour donner à sa voix un son caractéristique. Il arrive aussi que leur apparition dénote des problèmes de voix. C'est pourquoi tout étudiant en chant doit maîtriser des connaissances et le vocabulaire de base sur ces sons spéciaux, car ils font régulièrement partie des discussions avec le professeur.

Il ne s'agit pas ici d'en faire une description orthophonique, mais technique, et de montrer

« J'ai commencé comme chanteuse dans un groupe de musique qui a obtenu suffisamment de visibilité pour qu'un animateur connu de la télévision me demande de participer à ses émissions estivales. Ensuite, la vie a fait en sorte que je sois choriste pendant huit ans, avant d'être engagée dans *Starmania*. Même si je disposais d'une formation en théâtre, la comédienne en moi était loin et cachée, car mes années de choriste m'avaient habituée à ne pas trop prendre de place. Ainsi, j'ai pu apprendre rapidement tout ce qui était d'ordre musical et prendre le temps de rapatrier mon expérience théâtrale pour pouvoir interpréter le rôle de façon aussi équilibrée et expressive. »

Lulu Hughes

l'intérêt de créer et de partager des émotions avec ces jeux de fréquences et d'étendues vocales. Pour en connaître davantage au plan de la physique des sons, on peut consulter avec profit *Principles of Voice Production* de Ingo R. Titze.

DIPHONIE, POLYPHONIE ET CHANT DE GORGE

En ce début de millénaire, le besoin d'innover a poussé la recherche vocale dans le domaine de la résonance harmonique, notamment en Europe et en Amérique. De multiples voix spéciales ont ainsi été redécouvertes et mises à l'honneur, notamment les prières lamaïstes

des Tibétains, le chant de gorge des Inuits et des Touvas ainsi que le chant diphonique et polyphonique des Bachkirs, des Mongols. Ces voix, qui nous parviennent d'autres régions du monde, font l'objet de fréquentes questions de la part des élèves en chant. Elles ont surtout été étudiées en ethnomusicologie mais, actuellement, la quête de résonances spéciales et leur intégration à des formes modernes de chant et de musique confèrent à ces techniques un intérêt renouvelé. C'est surtout vrai de la voix profonde et diphonique du chant tibétain, assimilée à la grande famille des chants de gorge, et qui permet le renouvellement du son rauque si recherché par les groupes rock et métal.

« Quand je suis devenu chanteur, j'ai pris conscience assez rapidement de l'importance de la technique vocale parce que la mère du saxophoniste avec qui j'ai joué pendant des années, André Lambert, enseignait le chant ou était chanteuse, je crois. Elle venait voir nos shows et elle me faisait de petits commentaires. Elle m'a fait prendre conscience qu'il y avait une façon de chanter. Et des amis commençaient à avoir des nodules... C'est à partir de ce moment que j'ai compris qu'il ne faut pas se faire mal. »

Daniel Lavoie

VIBRATO

On décrit généralement le vibrato comme une légère ondulation sonore produite par des instruments de musique ou avec la voix et qui se manifeste par une variation périodique de la hauteur et de l'intensité d'un son. Sa fréquence s'étend généralement de 5 à 8 Hz, ce qui correspondrait à la fréquence de l'influx nerveux au niveau du mécanisme vocal, et il a une amplitude de plus ou moins un demi-ton. En chant, le vibrato idéal se situe entre 4,5 et 6,5 Hz. Un chanteur comme Pavarotti reste dans une fréquence avoisinant les 5,5 Hz, ce qui le place exactement à la moyenne de la plage de fréquences.

Si l'oscillation est trop lente et trop large, on dit que la voix bouge, mais si elle est trop rapide, on dira que le vibrato est trop serré ; en revanche, un son sans vibrato est un son droit, et un son trop droit témoigne d'un manque de vitalité. Bref, un bon vibrato est signe de bonne santé. Les chanteurs les plus talentueux savent ajuster l'étendue du vibrato ; les chanteurs de jazz et de musique ancienne, par exemple, alternent parfois les tons justes en vibrato et un jeu d'étendue du vibrato.

L'amplitude d'un vibrato augmente avec l'intensité vocale, comme un crescendo, mais sa fréquence s'accroît selon le degré d'excitation et de nervosité du chanteur. Pour pallier un surplus causé par l'excitation ou un manque causé par la fatigue, il faut se tourner vers des exercices réguliers et un bon conditionnement vocal.

L'utilisation du vibrato s'est grandement modifiée à travers les âges et les styles musicaux. Par exemple, la chanson pop du début du siècle faisait un usage abondant de vibratos très marqués, alors qu'aujourd'hui leur usage est de moins en moins fréquent. En Europe, des chanteurs, tels Caruso et Joselito, utilisaient le vibrato de façon régulière. Ce n'est plus le cas aujourd'hui puisque les chanteurs préfèrent présenter des sons plus droits.

Lorsqu'on utilise le vibrato, il faut être prudent lors du changement de ton. Il y a un risque de diminuer l'effet recherché puisqu'on finit par ne plus distinguer la mélodie du vibrato. Habituellement, la musique lente avec des notes suspendues et bien séparées est plus gracieuse en vibrato que la musique rapide avec ses rythmes complexes. Il en est de même pour les ensembles vocaux. Les membres d'un duo peuvent avoir une chance raisonnable de synchroniser leur vibrato, mais un plus large ensemble aura tendance à en diminuer l'étendue pour préserver une meilleure définition. Enfin, les choristes doivent non seulement ajuster leur vibrato, mais aussi le timbre de leur voix pour obtenir un meilleur effet d'ensemble.

Tout l'aspect de la perception du vibrato vocal se complique du fait que l'intensité et le timbre tendent à s'ajuster lorsque la fréquence varie. Lorsque les harmoniques sont entendus, il se produit un ajustement des sons à travers un spectre très large. Cela peut donner une impression d'excitation et générer plusieurs phénomènes acoustiques intéressants qui arrivent simultanément à l'auditeur, mais ils peuvent aussi incommoder celui qui désire plus de clarté dans le son. Le nombre de vibratos utilisés dans n'importe quelle production est souvent fonction des goûts et des styles personnels.

Mentionnons que les chants polyharmoniques de Mongolie

« J'ai commencé par chanter principalement dans des groupes rock. En ce qui a trait à la technique vocale, je ne venais d'aucune école particulière, mais j'ai pu compter sur une bonne connaissance de mon corps parce que j'avais fait du karaté, de la danse et du théâtre pendant mon adolescence. J'ai d'abord chanté dans des bars, ce qui abîmait passablement ma voix puis, en 1990, est venue ma première comédie musicale, *Vue d'en haut*. Avec la comédie musicale, j'ai découvert une façon nouvelle de faire mon métier de chanteur, une nouvelle énergie artistique qui harmonise le chant, la gestuelle et la danse. Bref, j'ai amorcé ma carrière en autodidacte, mais l'expérience m'a fait comprendre la nécessité d'une bonne technique vocale. Au fil du temps, j'ai suivi des cours de chant et d'orthophonie afin de maintenir ma voix en bon état. »

Bruno Pelletier

n'utilisent pas le même type de vibrato. Leur vibrato requiert une tout autre technique qui place le larynx de façon un peu plus élevée, avec des parois très tendues permettant l'utilisation d'une réverbération. En Occident, cette technique n'est pas naturelle, et le jeune chanteur qui souhaiterait l'apprendre serait prudent d'avoir recours à un professeur qui la connaît vraiment bien.

Quelques chanteurs de variétés actuels ont un vibrato intéressant et acceptable pour notre époque. Céline Dion, Maurane et Laurence Jalbert savent réser-

ver leur vibrato aux moments utiles. Rufus Wainwrigth utilise plus fréquemment son vibrato, et avec raison, car la vitesse de son vibrato confère à sa voix une dimension caractéristique.

Il y a d'autres chanteurs dont le vibrato est trop lent. Quand on écoute Diane Dufresne première manière, par exemple dans la chanson *Partir pour Acapulco*, on entend un vibrato forcé trop lent qui manque de naturel. Quelques années plus tard, comme dans la chanson *J'vieillis*, on se rend compte qu'elle chante avec une gorge plus libre et son vibrato est na-

« Au plan vocal, contrairement à ce qu'on pourrait penser, c'est moins difficile de faire régulièrement cinq représentations par semaine pendant trois ans. Comme c'est toujours les mêmes chansons, les muscles du larynx se sont moulés aux exigences de ces chansons. Mais je vais en surprendre plusieurs : je continue de prendre des cours de chant, je fais toujours mes vocalises, et je garde encore le silence pour reposer ma voix, même si je n'ai pas besoin de le faire aussi souvent qu'auparavant. »

Céline Dion

turel et plus rapide. Véronique Sanson présente un vibrato trop lent à ses débuts dans les chansons *Amoureuse* ou *Comme je l'imagine*, mais ne semble pas avoir changé avec les années si on s'appuie sur une chanson plus récente, telle *Un amour qui m'irait bien.*

Par contre, certains artistes ont eu, durant toute leur carrière, un vibrato vraiment trop rapide, ce qui ne les a pas empêchés de bâtir leur popularité avec cet aspect très prisé à l'époque.

Pensons à Joséphine Baker dans *J'ai deux amours*, Rina Ketty dans *J'attendrai*, Édith Piaf dans *La vie en rose* et le très populaire Tino Rossi dans *Marinella*.

TRILLE, TRILLO ET JODEL

Le trille est une variante du vibrato. Le niveau moyen du son est élevé dans le trille, mais pas dans le vibrato. Donc, dans le trille, il y a une tentative délibérée d'alterner entre une note basse et une note aiguë, tandis que le vibrato oscille sur la même note. Le trille module aussi entre un demi-ton ou un ton complet, comme dans le vibrato. Quand il joue sur un demi-ton, le degré moyen est généralement d'un quart de ton au-dessus de la note écrite : s'il joue sur un ton complet, la moyenne se situe idéalement à un demi-ton au-dessus de la note écrite. C'est très subtil et plusieurs artistes ont tendance

à exagérer cette moyenne pour bien se démarquer du vibrato.

Il est suffisamment difficile de produire un bon trille pour que certains chanteurs choisissent de faire un tremblement à la place de faire un trille. L'oreille avertie repère vite la substitution de la modulation par une utilisation plus facile de quelques combinaisons d'amplitude et de fréquence. Ce n'est plus un trille, c'est un effet sonore contrôlé qui permet de camoufler un manque d'habileté du chanteur. Il est donc préférable pour le chanteur inexpérimenté d'éviter les sons spéciaux dont il ne contrôle pas toutes les dimensions.

Le trillo se distingue du trille en ce sens qu'au lieu d'être modulé, le son est constitué d'une répétition rapide de la même note avec une voix alternativement ouverte et fermée. Du coup, il diffère aussi du vibrato, dont le son est ouvert de façon constante.

Dans le jodel, le chanteur vocalise sans paroles et sans transition de la voix de poitrine à la voix de tête, avec de fréquents changements de registre. Il n'a aucune parenté avec le vibrato ou le trille ; le premier reste sur la même note, et le deuxième fait au maximum un ton de plus. Jodler implique de sauter brusquement d'une tonalité à une autre, généralement dans les notes très aiguës.

TECHNIQUES VOCALES

Au jeune chanteur qui cherche un encadrement de base, on offre quelques pistes de travail. Il tirera aussi profit d'une brève introduction à des techniques de raucité et d'amplification prisées dans la musique pop. Sans être les seules approches efficaces, elles ont le mérite d'avoir été expérimentées et d'avoir apporté les résultats les plus probants avec les artistes de variétés. Ce sont aussi celles qui ont eu la plus haute cote d'amour et d'appréciation de la part des étudiants en chant.

TECHNIQUES DE BASE

Tout professeur d'expérience attentif au développement harmo-

« Je pense qu'il est important d'apprendre la technique de base le plus vite et le mieux possible. Et puis de savoir ce qu'on veut faire avec notre voix, sans trop se laisser influencer par qui que ce soit. Il faut avoir une technique vocale. Je pense à Garou qui a une voix de gravelle, mais qui possède, je pense, une technique extrêmement forte. Je l'ai vu chanter soir après soir sans jamais se faire mal. On a l'impression qu'il se fait mal à la gorge, et pourtant non. Je crois que c'est une technique qu'il s'est inventé tout seul. Les jeunes ne doivent donc pas conclure que d'avoir une technique vocale veut dire se limiter à une sorte de voix. »

Daniel Lavoie

nieux de ses jeunes chanteurs décrouvre tôt ou tard qu'il faut utiliser une approche personnelle avec chacun. Les techniques de base présentées ici ont le mérite d'être communes au chant classique et au chant pop. Il n'en demeure pas moins que la préparation générale suit un canevas de base :

— centrer sa colonne de son et apprendre à respirer ;

— localiser et ressentir ses résonateurs et son masque (haut-parleur) ;

— placer sa voix dans le masque, utiliser sa langue, contrôler l'ouverture de la bouche, la détente du visage, de la mâchoire, de la tête et du dos.

Une fois ces habiletés acquises, le chanteur peut apprendre à s'appuyer sur sa charpente et à soutenir son souffle grâce à ses muscles du tronc. Il peut ensuite attaquer l'articulation et la modulation de la voix parlée aussi bien que de la voix chantée. Le jeune chanteur verra donc à se donner la maîtrise de quelques habiletés supplémentaires :

— une respiration diaphragmatique profonde, qui descend jusqu'aux reins ;

— un appui solide, qui donne de la stabilité au souffle et à l'émission sonore ;

— un renforcement des muscles de soutien abdominaux et pelviens ;

« J'ai suivi mon régime vocal comme une maniaque et j'y ai pris plaisir. Je commençais par des inspirations et des élongations, des torsions du cou. Puis je réchauffais ma voix, je prenais une note et je la tenais le plus longtemps possible, sans forcer, jusqu'au bout de mon souffle. Je faisais voyager ma voix dans mon corps, voix de tête, voix du nez, voix de gorge, voix du ventre. Je pensais à des couleurs et des textures que j'essayais de traduire dans ma voix. Je poussais en crescendo des séries de sons, en appuyant de plus en plus fort sur chaque note, en changeant de rythme et de tonalité. Et je recommençais interminablement en continuant d'y mettre du cœur, de la passion : c'est ça le secret. »

Céline Dion

sonore, mais la beauté d'une voix, telle qu'elle est perçue par les auditeurs, est toujours fonction des effets de conscience qui, seuls, peuvent inscrire dans la voix l'intensité de l'être tout entier. L'intensité n'est rien d'autre que l'expression d'un ensemble de compréhensions, de sentis, de conflits intérieurs et des élans pour les dépasser.

VOCALISES

— une ouverture de la gorge, qui donne une belle rondeur aux sons et les laisse passer ;

— un appui automatique du bout de la langue derrière les incisives accompagné d'une détente ;

— un entraînement à relaxer la mâchoire et le corps ;

— une capacité à utiliser les vibrations des cartilages et des os du masque, et à y placer le son ;

— une verticalité, qui permet de ressentir les vibrations sonores au centre de son corps.

Une fois préparé vocalement, le chanteur peut aborder toutes les subtilités rattachées à l'art de la scène, à la gestion de son stress. Il apprend à s'oublier pour laisser place au texte et à augmenter sa concentration. Il poursuit avec l'interprétation des pièces, en s'attardant à lire entre les lignes. Il explore ses possibilités scéniques afin de prêter vie à chacune des chansons avec intensité sur scène.

Ces habiletés de base sont toujours plus efficaces si elles s'accompagnent de l'indispensable conscience du corps résonnant. Les exercices améliorent à la fois la santé vocale et la qualité

Les cordes vocales sont à la fois fortes et fragiles. Pour les conserver en bonne santé toute sa vie, il n'y a pas d'autres moyens que de se donner une discipline d'entraînement spécifique aux cordes vocales. Et les vocalises sont la seule manière d'entraîner les cordes vocales.

Cet entraînement vise quatre objectifs : assouplir l'appareil phonatoire pour éliminer des réverbérations non désirables dans la voix, réchauffer les muscles du larynx pour les rendre aptes à performer sans se blesser, augmenter son habileté à passer d'une configuration laryngée à une autre sans effort, assurer un refroidissement graduel des cordes vocales après un spectacle.

On entend souvent de la part des jeunes chanteurs de variétés et même des professionnels : « Untel ne fait jamais de vocalises et il n'a pas de problèmes de voix ». On ne peut que répondre : « Pour l'instant ! ». Rien n'assure qu'il n'en aura pas dans trois mois, un an, quatre ou dix ans. Il y a de fortes probabilités d'accidents vocaux à plus ou moins long terme. Le jeune chanteur qui souhaite faire carrière ne doit pas prendre un tel risque.

Il doit, au contraire, apprendre rapidement à prendre plaisir aux vocalises. Seule une conviction profonde de leur utilité, surtout si on n'a jamais eu de blessures ou d'inflammation, peut stimuler à des vocalises quotidiennes. Quel que soit le style de chanson qu'il choisit : variétés, jazz, gospel, blues, rock ou classique, tout chanteur doit faire ses vocalises pour renforcer ses muscles de la phonation et réchauffer ses cordes vocales avant de chanter.

« Avant d'entrer en scène, je fais un bref réchauffement vocal ; à l'aide d'un diapason, je fais d'abord des « ouuuu », des « eiiaoooyyuuu » dans la gamme centrale, puis je descends le plus bas possible et je monte le plus haut possible, jusqu'à ma voix de tête. Ensuite, pour exercer mon diaphragme, je refais la même routine avec le son « ihihihiiiii » et, pour bien réveiller les muscles de ma bouche, je termine avec des glissements « iiiiaaaaaooo ». »

Lulu Hughes

Travailler la voix aura toujours un impact sur le timbre et le registre, et même parfois sur la tessiture, car l'enrichissement des harmoniques donne une impression de hauteur à l'émission sonore : la voix n'est pas nécessairement plus haute, mais le fait d'avoir plus d'harmoniques la fait paraître plus aiguë.

Au début de l'entraînement vocal, l'étudiant verra à se limiter à 10 minutes de vocalises le matin et 10 minutes l'après-midi. Il faut commencer doucement sans agresser ses cordes vocales. Au fil des semaines, il pourra augmenter graduellement la durée des vocalises jusqu'à atteindre une demi-heure par jour au bout d'un an. Au bout de quelques années, l'entraînement vocal du chanteur de carrière devrait prendre au moins une heure par jour.

PRODUCTION DU SON RAUQUE

Le son rauque, si prisé dans le jazz, le blues et le pop, peut et doit être le fruit d'autre chose que du tabagisme ou d'une pression sur les cordes vocales, deux habitudes extrêmement dommageables pour la santé vocale.

En effet, il est parfaitement possible de produire un son rauque à partir d'une technique vocale sans danger, comme le fait Laurence Jalbert. Cette technique implique la réverbération des fausses cordes. Qu'on se le tienne pour dit, Laurence n'a jamais fumé et jouit de la santé vocale que lui donne son ex-

« En utilisant mes fausses cordes pour produire un son granuleux, presque rauque, je peux monter très haut parce que le passage de la voix est complètement ouvert, c'est pratiquement illimité : il y a plusieurs notes en même temps et ça monte en largeur. Cependant je suis très prudente. Évidemment, il ne faut jamais chanter sans que la voix ne soit bien réchauffée, mais c'est encore plus vrai avec cette technique d'appui sur les fausses cordes. Pour m'aider à projeter ma voix et pour qu'elle devienne rauque, je pratique certains exercices avec le son « é », en allant de plus en plus fort, en montant et en descendant. Je ne soutiens jamais cette technique durant toute une chanson et encore moins durant un spectacle entier. À ce jour, je ne peux rencontrer Robert Charlebois sans qu'il ne me supplie : « Dis-moi comment tu réussis ton graillon, c'est fascinant ce que tu fais ! »

Laurence Jalbert

cellente discipline de vie et ses consultations régulières en laryngologie.

Elle a développé ce son granuleux alors qu'elle était jeune et l'a amélioré au fil des ans grâce à une gymnastique vocale quotidienne : elle contrôle maintenant de façon remarquable cette technique vocale et l'utilise judicieusement pour créer des effets. Elle chante souvent en douceur avec un son pur et, tout doucement, elle intègre le son rauque pour revenir ensuite à un son pur. Il est important de jouer avec sa voix de cette façon pour ne pas lui nuire.

En général, les professeurs de chant refusent que leurs élèves fassent ce genre de « son » parce qu'ils ont des préjugés défavorables, et surtout parce qu'ils ignorent l'existence de cette technique. Par ailleurs, il existe des chanteurs qui n'ont pas une conscience suffisante de leur instrument, qui ne font jamais de réchauffement, et qui tentent de reproduire ce son granuleux sans savoir qu'il faut une excellente compréhension de son appareil phonatoire. Généralement, ils ont très vite de graves problèmes de voix.

Pour réussir le son rauque, le chanteur ne doit ni forcer, ni s'appuyer sur ses cordes vocales. Grâce à une très grande détente de la gorge et du palais mou, il doit garder le son libre. Au début, on émet un son bien placé dans les résonateurs,

« J'ai découvert l'importance, je dirais même la nécessité de faire des vocalises. Lorsque le stress et les obligations très grandes engendrées par l'ensemble des prestations reliées à Star Académie ou à l'évolution de ma carrière ont fragilisé ma voix, mon professeur a su me référer immédiatement au bon médecin. La voix est si fragile... Je ne l'ai compris tout à fait que lorsque j'ai moi-même eu ces problèmes de voix et, croyez moi, pour un chanteur, de perdre la possibilité de chanter — donc de s'exprimer — c'est la pire des choses. »

Marie-Mai Bouchard
Finaliste de Star Académie,
élève de Johanne Raby et patiente du Dre Françoise P. Chagnon

puis une deuxième réberbéra-tion s'installe au-dessus de l'os hyoïde, là où se termine le bord libre du repli ary-épiglottique : la voix s'enrichit alors de l'effet rauque. La voix se trouve alors placée à un point plus haut que l'os hyoïdien, juste en-dessous de l'oreille ou sous les articula-tions de la mâchoire inférieure. Ce son n'est pas nasillard et il vibre bien dans le masque.

VOIX AMPLIFIÉE

La mode des voix amplifiées s'est propagée avec l'essor des comédies musicales améri-caines, dans les années 1940, pour répondre aux contraintes extrêmement exigeantes de ces spectacles, combinant la danse, le jeu théâtral et le chant sans micro. L'objectif était de main-tenir un son égal pendant toute la durée de la prestation, sans transition de registre, avec suf-fisamment de force pour accom-pagner l'orchestre, mais sans fatigue vocale. Depuis, les techniques de voix amplifiée, appelées « belting » en Améri-que, ont occupé une place pré-pondérante sur Broadway.

« C'est long réchauffer une voix ! Pour que ma voix soit au maxi-mum, ça prend de trois à quatre jours de travail sérieux, à raison de trois heures par jour de vocalises. Généralement, après ces quel-ques jours intensifs de préparation, j'ai besoin d'environ vingt minu-tes à une demi-heure d'exercices et de vocalises pour me réchauffer avant le spectacle. J'utilise du chromatique, je monte et descends des gammes, je fais toutes sortes de choses avec ma voix, je m'amuse. Je le fais fort ou moins fort jusqu'à ce que je sente que les harmoniques que je veux entendre soient là. Je cherche surtout à aller chercher des harmoniques dans le son, dans le grain de la voix, qui seront audibles évidemment dans un micro. Moi, ça fait 35 ans que je travaille avec un micro, donc c'est certainement une des choses que je travaille le plus, la qualité du grain de la voix. »

Daniel Lavoie

Avant toute chose, précisons que le mot *belting* a été utilisé pour décrire tellement de réa-lités différentes depuis quel-ques années qu'il est devenu à la fois peu fiable et totalement imprécis. La plupart des grands professeurs de chant, tels Ingo Titze, Cathrine Sadolin, Johan Sundberg et William Riley pré-fèrent l'éviter. Ils créent plutôt des programmes d'exercices individualisés qui travaillent en « intensité » : intensité sonore, intensité harmonique, intensité émotive, intensité dramatique et force de l'intention. Les moyens techniques utilisés s'appuient aussi bien sur l'entraînement de

configurations laryngées appro-priées et l'amélioration de l'arti-culation que sur la compréhen-sion profonde des textes.

En chant classique, le chanteur doit aussi travailler en puissance, puisque la voix doit, de par sa seule projection, remplir des salles immenses. De plus, cette voix doit être entendue par des-sus l'orchestre symphonique et les chœurs, le cas échéant. C'est là une difficulté majeure de la technique classique. Mais l'absence de déplacements sur scène n'oblige pas le chanteur au soutien maximal requis pour chanter en dansant.

« Malgré tout, un chanteur doit accepter que sa voix soit en constante mutation et qu'elle ne pourra jamais atteindre l'idéal, il doit avoir l'humilité de l'admettre et s'entraîner de façon à s'adapter à chaque contexte ou période de sa vie. La voix a ses limites, il faut apprendre à les connaître. Par exemple, je peux faire des changements de voix instantanés, en passant du belting à ma voix de tête dans une même chanson, mais cette façon d'interpréter pourrait me blesser : je dois savoir le faire et bien le sentir physiquement. »

Lulu Hughes

La technique consiste donc à émettre les notes avec justesse en arrondissant le son au fond de la gorge pour l'amplifier et à couvrir sa difficulté d'articulation dans les aigus par des voyelles compensatrices.

En résumé, alors que le chant classique favorise l'allongement des possibilités vocales, les techniques de voix amplifiées favorisent leur intensité, ce qui est recherché dans le chant de variétés. Elles n'ont rien à voir avec les sons très forts, pratiquement criés, utilisés par certains chanteurs pop mal entraînés. Toutefois, certains chanteurs les utilisent instinctivement sans les avoir vraiment apprises. Elles se distinguent des techniques généralement utilisées en chant classique en ce qu'elles utilisent une voix de poitrine et placent le son différemment. La technique implique un grand contrôle de la voix, avec retenue, d'une part, et puissance, de l'autre. Elle ne peut s'exécuter qu'avec un corps très détendu.

Il s'agit de coordonner l'activité des muscles de la poitrine jusqu'aux cordes vocales, notamment les muscles aryténoïdiens et thyro-aryténoïdiens. Au passage du flux vocal, on accroît graduellement les fonctions des divers résonateurs en intégrant ceux de la tête. Plus le son devient aigu, plus le mécanisme s'applique.

L'entraînement, le conditionnement et la coordination de la voix requièrent la même quantité et qualité de travail que celui des chanteurs classiques. Ce n'est pas une technique moins exigeante. Le contrôle de la respiration doit être tout aussi efficient et, même s'il y a micro et amplificateur, l'articulation demeure primordiale puisqu'elle aide à mieux projeter le son et à éviter les distorsions.

La première chose à faire est de bien situer le son dans le masque. Ce qui constitue le haut-parleur n'est pas situé à la hauteur des cordes vocales et ne doit surtout pas être l'expression de leur seule vibration. Règle d'or : le haut-parleur doit toujours être dans le masque. Pour bien travailler en amplification, il faut savoir positionner le larynx et la gorge, savoir contrôler l'ensemble des tissus (vraies et fausses cordes vocales, paroi pharyngée et laryngée) et obtenir une ouverture de la gorge telle que l'air projette le son de manière stable au niveau du masque.

Quand on travaille en intensité, il faut être à l'affût de tout signe d'inefficience et de toute habitude vocale potentiellement dommageable, parce qu'une mauvaise approche pourrait endommager rapidement les cordes vocales. Lorsqu'un chanteur sent sa voix dans sa gorge, c'est un très mauvais signe. Il doit aussi noter toute tension dans les joues, les tremblements de la langue et des muscles du cou. Ces symptômes génèrent une mauvaise phonation et d'autres anomalies tout aussi inacceptables.

Les techniques de voix amplifiées sont axées sur la position des différentes composantes du larynx, et la façon dont l'air est poussé et contrôlé lors de la projection. Elles accordent donc une grande importance à l'inclinaison du larynx, à la force des tissus latéraux et à l'ouverture de la gorge. Physiquement, elles représentent plus de travail que le son de tête du chant classique. Il ne s'agit pas d'une simple dominance de la voix de poitrine, car on y incorpore l'ensemble des résonateurs de la tête. Autrement dit, le registre de poitrine n'est pas mixé, mais étendu grâce à des exercices particuliers.

« Je faisais beaucoup de vocalises quand je suivais des cours, mais depuis peu, je les utilise comme mode de réchauffement avant les spectacles. Mon réchauffement consiste surtout de gammes avec voyelles ouvertes, les « a », « é », « ou ». J'utilise un petit enregistrement tiré d'un cours de chant, ce qui me permet de porter attention aux petites erreurs. Mais j'avoue que je n'ai jamais eu de problèmes de voix. Dans mes spectacles, il m'arrive d'utiliser diverses techniques vocales. Avoir une bonne technique de voix est très utile. J'ai fait 300 représentations en deux ans et demi avec mon premier show. Alors il faut être en forme. »

Steeve Diamond

Quand elle est bien maîtrisée, la technique produit une sonorité qui reste dominée par la voix de poitrine, mais elle projette plus de rondeur, plus d'émotivité et plus force. On peut voir pourquoi sur le schéma des résonances (figure 3.11) : le trajet est centré, pour ne pas dire concentré, il englobe l'ensemble des résonateurs et remonte dans la tête pour ensuite se faire ressentir sur les dents avant de franchir les lèvres. Comme la technique intègre aussi la cavité de résonance du rhinopharynx, elle donne un timbre très caractéristique de cuivre aux tons nuancés, parfois perçu comme nasillard. Si le son est trop nasillard faute d'une bonne

maîtrise de la technique, il peut se corriger par des exercices appropriés.

Le travail en intensité ne peut être pris à la légère. Ici, la patience est capitale, surtout pour les débutants. Il ne faut jamais aller trop bas ou trop haut, trop fort ou trop vite. On peut commencer par des « n » ou « ng » sur une échelle de cinq notes. tout en respectant les tonalités. Les tonalités sont un facteur d'importance équivalente dans toutes les techniques de chant. Réalisée avec une gradation d'intensité, la technique ne comporte aucun danger. Il reste important de ne pas se limiter à des techniques d'amplification.

« Je crois que l'important dans la vie, c'est nous-même. Nous ne sommes pas qu'un instrument vocal, il faut que nos chansons soient en harmonie avec nos instincts. L'écoute de soi, selon moi, est la clé du chant. Je suis curieuse et j'ai toujours voulu bien chanter, ne rien bâcler, tout en restant moi-même. C'est plus profitable que d'essayer de développer un style qui est trop loin de soi. En tant qu'artiste, on doit toujours se rappeler qu'on n'a pas à devenir quelqu'un d'autre. Même au niveau vocal, en ce qui concerne strictement le chant, il ne faut pas trop amplifier les choses, comme toute chose dans la vie d'ailleurs. »

Ariane Moffatt

L'idéal, c'est de développer l'intensité dans sa tessiture et d'en élargir ensuite l'étendue, tout en restant à l'écoute pour bien conserver son identité vocale.

Les enseignants, les animateurs et les comédiens consultent aussi parfois le professeur de chant pour leur voix. Les problèmes qu'ils rencontrent sont identiques à ceux des chanteurs et résultent des mêmes causes : ils utilisent trop et mal leur voix parlée. Lorsqu'ils parlent durant plusieurs heures à des groupes, et pour s'assurer de bien faire passer leurs messages, ils tentent de soutenir une projection en puissance en augmentant la pression sous leurs cordes vocales et en resserrant encore davantage la fermeture de la glotte. Chaque fois que la projection du son s'appuie sur les cordes vocales au lieu des muscles deoutien thoraciques, pelviens et abdominaux, la voix s'épuise rapidement, s'enflamme et finit par se blesser.

CHAPITRE 6

FAUT-IL RÉCHAUFFER TOUT SON CORPS ?

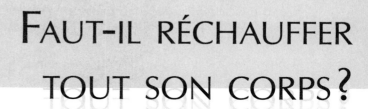

L'UNE DES CONDITIONS ESSEN-TIELLES À LA RÉUSSITE EN CHANT et à l'application adéquate des techniques vocales consiste en une mise en forme physique sérieuse. Pour que cette mise en forme soit réussie, il faut respecter deux éléments importants. Il faut d'abord détendre et réchauffer les bons muscles, mais il faut aussi assurer une continuité. Autrement dit, il faut choisir les bons exercices et les faire régulièrement ; il ne faut rien tenir pour acquis. Que vaudrait un réchauffement si le corps n'est pas déjà en forme ?

« Je suis assez sportif. Je faisais beaucoup de karaté auparavant, mais maintenant je ne peux plus à cause d'une hernie discale. Alors je me suis mis au vélo. Je fais environ 80 kilomètres à tous les deux jours. Je fais aussi du yoga depuis 2001. Ça me permet d'être plus libre. Faire du yoga avant d'aller chanter libère mon corps et me permet de me concentrer sur ma respiration et mon chant. »

Bruno Pelletier

L'exercice physique est le meilleur moyen d'évacuer les tensions musculaires ou nerveuses, d'éloigner les maladies, de garder ses cordes vocales en santé, et d'augmenter l'endurance nécessaire pour les diverses prestations vocales. C'est l'ensemble du corps qui constitue l'instrument du chanteur, et aucun réchauffement ne saurait être complet sans avoir exercé tous les muscles du corps.

POURQUOI L'EXERCICE ?

Beaucoup de gens s'imaginent à tort que chanter est une chose facile et naturelle. Bien sûr, chanter pour le plaisir ou occasionnellement ne requiert pas nécessairement une mise en forme poussée. Mais pour en faire le métier — et surtout pour le faire longtemps —, il en va tout autrement.

Il est toujours surprenant d'entendre un professeur de chant classique prétendre que la mise en forme physique n'est pas importante pour bien chanter et que le chanteur peut se limiter aux vocalises. Il est vrai que, dans les opéras, le chanteur n'est pas appelé à exécuter beaucoup de déplacements sur scène ; en revanche, il ne peut compter sur un microphone quand il n'est pas en voix. Il est vrai aussi que, dans ce type de performance, les chanteurs n'ont jamais à chanter et à danser en même temps, comme en chant pop ou en comédie musicale. Malgré tout, quelques auteurs spécialisés en chant classique recommandent aux chanteurs lyriques de maintenir une bonne forme physique, tout comme en chant pop. Pourquoi ? Parce que, malgré des différences évidentes dans les prestations, toute performance vocale exige un déploiement d'énergie considérable et tout le corps participe à l'effort. Tout chanteur doit s'assurer que l'ensemble de la musculature interne et externe, particulièrement au niveau du tronc, répond efficacement à ses besoins de support, de soutien, de projection et de souffle. Si certains semblent pouvoir s'en passer, on peut sans peine affirmer qu'ils seraient meilleurs — et de beaucoup — s'ils étaient en meilleure forme physique.

Y A-T-IL UN ÂGE POUR L'EXERCICE ?

La voix, comme le corps, évolue avec les années. Le chanteur devra constamment s'assurer que son corps est à même de répondre aux commandes et aux efforts qu'il va lui demander, et ajuster son programme d'exercices en conséquence. Ceux qui continuent à chanter durant de longues années sont pratiquement toujours forcés, un jour ou l'autre, de mettre de côté les excès qui nuisent à leur santé et de se mettre à une forme quelconque d'entraînement.

Il est coutumier de penser qu'il y a un temps pour l'entraînement intensif et qu'avec l'âge, la forme se perd inévitablement et, avec elle, la voix. Richard Miller, l'auteur de *La structure du chant*, recommande une bonne mise en forme pour les chanteurs lyriques et tolère certains sports exigeants comme la musculation et la natation, mais il ajoute : « si on ne s'acharne pas à les prolonger au-delà de l'âge après lequel on devrait cesser l'exercice physique. » Rien n'est plus faux que de croire qu'il existe un âge où l'exercice cesse d'être bénéfique. En fait, il est toujours recommandable de s'entraîner, à condition de le faire selon des règles saines et sans excès.

Il existe des gens déterminés qui réussissent à s'entraîner jusqu'à un âge avancé afin de réaliser ce qui leur tient le plus à cœur. Mentionnons le cas de la québécoise Jeanne Daigneault, qui s'est mise à la nage

« J'ai longtemps fait des poids et haltères pour m'entraîner, mais maintenant je fais surtout des exercices cardio-vasculaires trois ou quatre fois par semaine durant une heure. Garder la forme, c'est important. Quand on est en forme, on respire mieux, librement, donc la voix a une meilleure qualité. Les spectacles sont également moins épuisants. Celui qui veut faire de la scène comme comédien, humoriste ou chanteur doit se coucher tôt, bien s'alimenter et s'entraîner. »

Steeve Diamond

à 50 ans après avoir élevé huit enfants et qui, à 85 ans, participe à des compétitions de natation nationales et internationales, et remporte une quantité impressionnante de médailles et de trophées. Ce qui est remarquable, c'est la jeunesse qui la caractérise : la clarté de son esprit, la vivacité de son allure et l'assurance de sa voix.

Les chanteurs ne font pas exception : plusieurs ont réussi et réussissent à conserver une forme physique et vocale suffisante pour donner des spectacles passé les 80 ans. Pensons à Maurice Chevalier, Charles Trenet ou Frank Sinatra. Plus près de nous, il y a Charles Aznavour et Henri Salvador. À notre question concernant sa capacité à ne pas présenter une voix fatiguée même en fin de

spectacle, M. Aznavour a pris la peine de nous répondre :

« Pour moi, c'est la santé en général qui est la clef de la qualité vocale ».

Notons aussi que ces chanteurs se distinguent par leur estime de soi et leur joie de vivre. Certains chanteurs ont une mauvaise perception d'eux-mêmes ; ils se trouvent vieux à 30 ans, et cela finit par influer sur leurs réelles capacités physiques.

QUELS EXERCICES FAIRE ?

En ce qui a trait à la mise en forme générale, il n'y a pas d'exercice ou de sport particulier qui soit plus valable qu'un autre. Il est fortement conseillé aux étudiants en chant de choisir le genre d'exercices qui leur

« Je viens d'une famille très sportive. J'ai passé ma jeunesse et mon adolescence sur les terrains de basket-ball, de soccer et de tennis. Je fais actuellement du karaté trois fois par semaine ; j'ai d'ailleurs passé ma ceinture brune en décembre 2003, une épreuve de huit heures. C'est essentiel d'avoir un corps en santé pour un chanteur ! Ça compense peut-être pour les abus. Je reste assez équilibrée, mais en tant qu'auteure-compositeure, il y a des moments où je me permets de vivre un peu dans l'excès, sinon, je n'aurais rien à raconter ! »

Ariane Moffatt

convient le mieux et, surtout, qui les motive, car l'important, c'est la régularité de la mise en forme. Pour certains, il n'y a rien comme la natation, car on peut aller nager les matins de spectacle pour évacuer le trop plein d'énergie et calmer la tension. Pour d'autres, une variété d'entraînements réguliers plusieurs fois par semaine, soit de la danse, de l'aérobie, de la marche ou de la natation, sont la meilleure combinaison.

Les exercices Pilates sont recommandables (voir la bibliographie), car ils permettent de renforcer le support musculaire profond de la colonne vertébrale, d'augmenter l'amplitude des mouvements et d'améliorer la force et la coordination des muscles du tronc, de même que des abdominaux et des dorsaux. Ces exercices ont l'avantage d'apprendre au chanteur à régler sa respiration à la cadence, à rendre les efforts plus fonctionnels et à minimiser les tensions excédentaires au niveau du cou et de la région lombaire. C'est un ajout enrichissant à la mise en forme du chanteur.

Toutefois, quel que soit le sport ou l'exercice choisi, il faut y mettre les restrictions d'usage. Personne n'encouragera un chanteur à faire sa course à pied par grands froids. Personne ne l'incitera non plus à s'épuiser en musculation les jours de performance. Cela tombe sous le sens. Chacun, individuellement ou avec les conseils de son entourage, peut juger du moment où un exercice ou un sport devient un excès.

PROGRAMME DE RÉCHAUFFEMENT CORPOREL

Le chanteur peut entreprendre son programme de réchauffement corporel en tout temps, quelques fois par semaine. Quoi qu'il en soit, il doit préalablement rencontrer trois conditions :

— il doit pouvoir s'appuyer efficacement et solidement sur sa charpente ;

— il doit avoir développé ses dorsaux et ses abdominaux pour assurer son soutien ;

— il doit avoir un poids équilibré.

Quand il rencontre ces trois conditions, le chanteur peut amorcer sans crainte un programme d'exercices. Le programme d'exercices de réchauffement présenté ici est inspiré de l'approche de Marguerite Lalande, un professeur d'éducation physique et sportive d'une vaste expérience. Il est bien adapté aux besoins des chanteurs.

Tout d'abord, il est fortement recommandé de se réchauffer du haut jusqu'en bas, comme un athlète qui se prépare à la compétition. La séquence des exercices mettra en éveil les régions corporelles suivantes :

— les yeux,

— la cage thoracique,

— le tronc,

— l'os hyoïde,

— le cou,

— la colonne vertébrale,

— le périnée,

— les pectoraux,

— la ceinture scapulaire,

— les quadriceps et les rhomboïdes,

— les abdominaux.

Il existe des exercices progressifs pour ces différentes régions du corps. Nous avons retenu les plus faciles, car il s'agit ici de suggérer des exercices de base à la portée de tous. Libre au chanteur d'en augmenter graduellement le niveau de difficulté après avoir consulté des personnes compétentes en la matière. L'idéal serait de suivre des classes d'exercices où l'on montre les mouvements de transition qui permettent d'éviter les blessures. Rien ne remplace un instructeur qualifié.

Enfin, signalons que, comme dans tout art qui nécessite une utilisation soutenue du corps, il est indispensable de compléter son réchauffement par une série d'étirements qui permet de repositionner les muscles afin qu'ils soient prêts à passer à l'action. Il est fortement recommandé au chanteur qui se consacre également à un programme de déblocage vocal, de procéder d'abord au réchauffement et aux étirements.

RÉCHAUFFEMENT DES MUSCLES OCULAIRES

Le réchauffement des muscles oculaires vise à faire relâcher et à détendre la musculature oculaire ; il permet d'améliorer

« Je ne fais pas de conditionnement physique, mais je garde toujours la forme. Je fais du patins à roues alignées (*roller blade*) et je suis quand même très actif, et dans mon métier, et dans mon jardin. »

Daniel Lavoie

la concentration et d'activer le cerveau. Ils peuvent être exécutés en position assise ou allongée. Les trois mouvements des yeux : vertical, latéral et oblique (figures 6.1, 6.2, 6.3), doivent être répétés entre 5 et 10 fois chacun. Il est recommandé d'inspirer dans une direction, puis d'expirer dans l'autre.

Il est recommandé de compléter cette série d'exercices par une rotation complète de l'œil. Il s'agit de lever les yeux vers le front pour ensuite amorcer un mouvement circulaire en dirigeant les deux yeux, dans l'ordre, vers l'œil gauche, l'épaule gauche, la poitrine, l'épaule droite, l'œil droit, puis de nouveau vers le front. Quel que soit le nombre de répétitions, on doit reprendre ensuite le mouvement en sens opposé.

Figure 6.1
Mouvement vertical. Sans bouger la tête, lever les yeux vers le ciel et les baisser vers le sol en alternance.

Figure 6.2
Mouvement latéral. Sans bouger la tête, diriger les yeux vers la droite puis vers la gauche.

Figure 6.3
Mouvement oblique. Diriger les yeux vers le coin en haut à gauche, puis vers le coin en bas à droite.

RÉCHAUFFEMENT DES MUSCLES THORACIQUES

Le réchauffement des muscles thoraciques est un exercice de respiration en position de détente. Il augmente les sensations d'expansion et de compression de la cage thoracique et permet d'en prendre conscience. Plus précisément, il permet de bien ressentir le mouvement des côtes flottantes, du diaphragme et des clavicules. Au point de départ, le chanteur est allongé, les genoux fléchis, les talons face aux ischions et les bras le long du corps (figures 6.4, 6.5). Le mouvement consiste à imiter le mouvement de la vague avec sa respiration. Il faut exécuter deux séries de six répétitions en commençant par gonfler l'abdomen et deux séries de six répétitions en commençant par gonfler le thorax.

Figure 6.4
Mouvement de la vague. Inspirer de manière à gonfler l'abdomen, retenir l'air à l'intérieur, et faire voyager l'air de l'abdomen à la poitrine, puis de la poitrine à l'abdomen, et ainsi de suite, jusqu'au moment de ressentir le besoin de reprendre son souffle.

Figure 6.5
Vague sans respiration. Sans inspirer, faire la vague de bas en haut et placer la main sur la poitrine pour bien ressentir le mouvement.

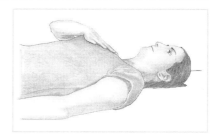

RÉCHAUFFEMENT DE L'ENSEMBLE DU TRONC

On exécute le réchauffement du tronc allongé par terre pour éviter de soulever les épaules. L'exercice consiste à émettre un son chuinté en rapprochant les dents de façon à ralentir l'expiration et à en augmenter le contrôle (figure 6.6). Il faut adopter et soutenir un rythme dans le chuintement et l'expiration. Une fois le mouvement bien maîtrisé, on ajoute la conscience des sensations en s'attardant à chacune des portions du tronc. On doit répéter le mouvement et l'ajout des sensations jusqu'à ce que les mouvements soient ressentis (figure 6.7). Il est recommandé de se faire guider. L'objectif est d'obtenir un contrôle conscient du tronc.

RÉCHAUFFEMENT DE L'ENSEMBLE DU TRONC

Figure 6.6
Respiration et sensation du tronc. Allongé, genoux fléchis, talons vis-à-vis les ischions, bras le long du corps, inspirer profondément, puis expirer en sentant une vague qui déferle de la tête à la poitrine, puis de la cage thoracique jusque dans le bassin et les pieds. Prendre conscience du corps qui s'alourdit sur le plancher. Répéter le mouvement quelques fois.

Ajouter une sensation d'affaissement du sternum dans la colonne vertébrale, comme un grand soupir de soulagement après une journée de travail.

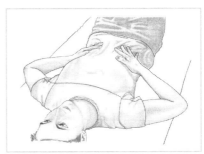

Figure 6.7
Sensation abdominale et lombaire. Faire descendre cette sensation dans les côtes et le bassin en engageant les muscles abdominaux obliques. Terminer par une sensation de ventre creux en engageant simultanément les muscles abdominaux transverses, le plancher pelvien et les muscles lombaires. Placer les mains sur l'abdomen pour amplifier la sensation.

RÉCHAUFFEMENT DES MUSCLES DE LA GORGE

Le réchauffement des muscles de la gorge est utile chaque fois qu'on se sent la gorge serrée ou qu'on ressent des picotements (figure 6.8). Les muscles insérés sur l'os hyoïde qu'on invite ainsi à se relâcher sont le digastrique, le thyro-hyoïdien, le mylo-hyoïdien et le génio-hyoïdien.

Comme cet exercice sert à assouplir et à détendre les muscles du larynx directement impliqués dans le chant, le chanteur peut tout simplement prendre l'habitude de le répéter quelques fois par jour.

RÉCHAUFFEMENT DES MUSCLES DU COU

Le réchauffement des muscles du cou se fait en quelques mouvements simples. Les deux premiers s'exécutent en position assise, avec les ischions bien en contact avec la chaise (figures 6.9, 6.10), alors que le troisième se réalise en position couchée (figure 6.11). Il est recommandé d'exécuter les deux premiers avant le troisième, car ce dernier exige plus de force. Ces exercices peuvent être répétés plusieurs fois par jour, mais il ne faut pas les faire brusquement sous peine de blessures. Le résultat escompté est

« Donner un spectacle de trois heures est très exigeant ; aussi je me préoccupe beaucoup de ma condition physique. Je dois être dans un forme suffisante pour me permettre d'avoir le souffle et la résistance nécessaire, car il n'y a rien de plus frustrant pour un chanteur que d'être essoufflé en plein milieu d'une chanson. »

Laurence Jalbert

un assouplissement des fléchisseurs du cou, notamment des muscles stylo-hyoïdiens, sterno-cléïdo-mastoïdiens, sterno-hyoïdiens, sterno-thyroïdiens et des scalènes.

Figure 6.8
Relaxation des muscles hyoïdiens.
En position assise, poser les index de chaque côté de l'os hyoïde. Pousser légèrement sur l'os hyoïde de droite à gauche et puis de gauche à droite afin de le déplacer.

Figure 6.9
Renforcement avant-arrière du cou.
Appuyer le bout des doigts sur le front. Inspirer et pousser la tête contre les doigts comme pour descendre le front vers les clavicules. Il y a une légère flexion cervicale en même temps que le front oppose une résistance. Expirer en augmentant la résistance sur environ six secondes. Inspirer, attendre quelques secondes, puis expirer en enlevant la pression sur environ six secondes. Inverser le mouvement en croisant les mains derrière la tête. En effectuant la même respiration, pousser la tête sur les mains tout en opposant une résistance avec les mains.

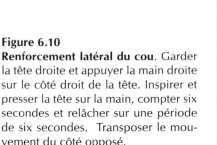

Figure 6.10
Renforcement latéral du cou. Garder la tête droite et appuyer la main droite sur le côté droit de la tête. Inspirer et presser la tête sur la main, compter six secondes et relâcher sur une période de six secondes. Transposer le mouvement du côté opposé.

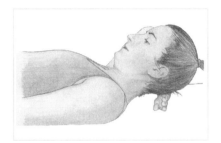

Figure 6.11
Renforcement des érecteurs de la tête et du cou. Couché sur le dos, genoux fléchis, talons vis-à-vis les ischions, bras le long du corps, élever la tête d'environ 4 à 5 cm, soit la largeur de 4 doigts grâce à une légère flexion cervicale du front vers les clavicules. Tenir la position de 8 à 10 secondes puis déposer d'abord la tête et relâcher ensuite le cou. Augmenter graduellement la durée de la flexion jusqu'à une minute.

RÉCHAUFFEMENT DES ÉRECTEURS DE LA COLONNE VERTÉBRALE

Pour réchauffer les érecteurs de la colonne vertébrale qui en assurent la motilité, il suffit de procéder à un enroulement et un déroulement de la colonne vertébrale (figure 6.12). Cet exercice s'exécute debout, le dos appuyé au mur, avec les pieds parallèles éloignés du mur d'environ 30 cm pour assurer un maximum d'équilibre. Il permet d'assouplir tous les muscles superficiels et profonds situés derrière le cou et le long de la

RÉCHAUFFEMENT DES ÉRECTEURS DE LA COLONNE VERTÉBRALE

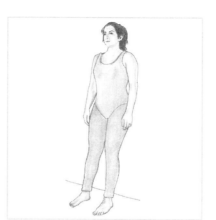
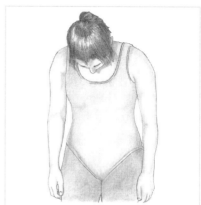
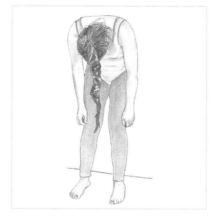
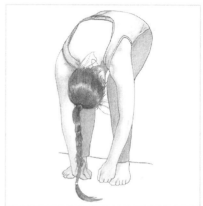

Figure 6.12
Enroulement et déroulement du tronc. Genoux relâchés, bras pendants et yeux ouverts, inspirer puis expirer en laissant tomber la tête, le front en premier. Laisser s'enrouler la colonne vertébrale jusqu'en bas tout en continuant l'expiration et en respectant sa limite naturelle.

Inspirer à nouveau et dérouler doucement, vertèbre par vertèbre, en expirant lentement jusqu'à revenir dans la position relevée de départ mais en gardant la tête penchée. Replacer doucement la tête jusqu'à retrouver la position initiale. Il est permis d'inspirer au besoin ; il suffit de faire une pause et de poursuivre le mouvement là où il a été interrompu, soit vers le haut, soit vers le bas.

« Étant donné que sur scène je bouge beaucoup, je dépense énormément d'énergie durant un spectacle ; je dois donc faire attention à
ma santé. Ainsi, depuis quelques années, je m'astreins à des séances
régulières de conditionnement physique et je m'assure de suivre un
régime riche en vitamines, en légumes, en salades et en poissons. Il
y a maintenant près de quarante ans que je fais ce métier et, jusqu'à
maintenant, j'ai su rester jeune. »

Nanette Workman

colonne vertébrale, soit les lon-
gissimus de la tête et du cou, les
semi-épineux de la tête, du cou
et du thorax, les érecteurs du ra-
chis, les ilio-costaux du cou, du
thorax et des lombes, l'épineux
du thorax, le long dorsal et le
carré des lombes. Le résultat
est une amélioration de la posture debout chez le chanteur.

RÉCHAUFFEMENT DU PÉRINÉE ET DES PECTORAUX

Le réchauffement des pectoraux se fait en même temps que
le réchauffement du périnée de
manière à créer une synergie
entre les deux mouvements, ce
qui entraîne un renforcement
mutuel des deux régions du
corps.

Au point de départ, le chanteur
doit être en position couchée,
genoux fléchis, ischions vis-à-
vis les talons. Il doit placer les
bras en rotation externe au sol
et fléchir les coudes à 90 degrés (figure 6.13).

L'exercice consiste à faire un
mouvement qui contracte et
détend les pectoraux en même
temps qu'un mouvement qui
force la contraction et la détente
des divers muscles du plancher
pelvien : les grands fessiers, les
transverses superficiels et profonds du périnée, l'ischiocaverneux et le bulbocaverneux, les
releveurs de l'anus et le muscle
externe du sphincter anal.

Il faut rapprocher les avant-bras
l'un vers l'autre jusqu'à ce qu'ils
soient parallèles au plafond

tout en conservant l'angle des
coudes à 90 degrés et, simultanément, rapprocher les ischions
par une contraction consciente.

Il faut compter six temps pour le
rapprochement des avant-bras
et des ischions, et de nouveau
six temps pour le relâchement
et le retour à la position initiale.
Il est recommandé d'inclure
une douzaine de répétitions à
chacune des scéances de réchauffement (figure 6.14).

En ce qui concerne les avant-
bras, l'exercice doit d'abord
être exécuté sans poids afin de
bien coordonner les deux mouvements. Mais il est recommandé de le répéter ensuite
avec une gradation de poids de
manière à assurer le renforcement de la ceinture scapulaire
antérieure. Il est suggéré que
ces poids varient de 1 à 4 kg
pour les femmes et de 4 à 10 kg
pour les hommes.

Cet exercice assure au chanteur
un meilleur contrôle de la cage
thoracique et un soutien accru
du tronc par le plancher pelvien, ce qui contribue à améliorer sa gestion du souffle.

RÉCHAUFFEMENT DU PÉRINÉE ET DES PECTORAUX

Figure 6.13
Position de départ. Allongé, genoux fléchis et talons vis-à-vis les ischions, placer les bras en rotation externe au sol et fléchir les coudes à 90 degrés.

Figure 6.14
Renforcement des pectoraux et du périnée. Rapprocher simultanément les ischions et les avant-bras en 6 temps, puis relâcher la contraction en 6 temps. Inclure une douzaine de répétitions à chacune des scéances de réchauffement.

RÉCHAUFFEMENT DE LA CEINTURE SCAPULAIRE ET DES TRICEPS

L'exercice de réchauffement et de renforcement de la ceinture scapulaire antérieure et postérieure permet de solidifier les parties du corps qui sont généralement les plus faibles et les plus sollicitées dans le chant (figure 6.15). Il permet d'améliorer la posture debout et aussi de renforcer les muscles du cou et les triceps. Il s'exécute à quatre pattes sur le dos, les doigts tournés face aux pieds, les jambes parallèles. L'utilisation d'un coussin pour les mains facilite le maintien de la position. Pour être efficace, on doit répéter le mouvement entre 10 et 15 fois. L'exercice est exigeant, c'est pourquoi on recommande de toujours le compléter par un étirement des poignets (à la fin du chapitre).

RÉCHAUFFEMENT DES QUADRICEPS ET DES RHOMBOÏDES

Le quadriceps fémoral est le muscle qui s'attache à la rotule et longe la cuisse jusqu'au bassin. Les rhomboïdes sont deux muscles situés sous les muscles superficiels de l'épaule ; ils s'étendent de la colonne vertébrale à la scapula, le nom moderne de l'omoplate (figures 6.16, 6.17).

Les exerciser permet renforcer les muscles des cuisses ainsi que de la région des omoplates, ce qui à son tour a un effet bénéfique sur la posture debout. Il est très important d'avoir un dos détendu pour bien chanter et, pour que le dos soit détendu, il doit être bien supporté. C'est ainsi que l'exercice de

Figure 6.15
Renforcement de la partie haute du tronc. Stabiliser la région scapulaire antérieure et postérieure. Fléchir progressivement les coudes en gardant le tronc droit. Expirer et descendre en 4 temps, puis inspirer et remonter en 2 temps.

réchauffement des quadriceps et des rhomboïdes contribue au chant. Il consiste tout simplement à faire la chaise au mur et à rapprocher les scapulæ (omoplates).

RÉCHAUFFEMENT DES ABDOMINAUX

La famille des muscles abdominaux comprend aussi bien les grands droits, les petits et les grands obliques que les transverses. Le premier exercice de déroulement continu en position assise permet de renforcer surtout les grands droits et les transverses (figure 6.18).

RÉCHAUFFEMENT DES QUADRICEPS ET DES RHOMBOÏDES

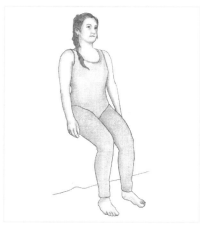

Figure 6.16
Mouvement de la chaise. Dos au mur, pieds éloignés du mur de la longueur de la cuisse, jambes parallèles, descendre doucement jusqu'à ce que les genoux soient à angle droit avec le dos. Ne pas descendre plus bas que 90 degrés. Au début, il est souvent difficile de descendre plus bas que 110 degrés. Une fois dans la position de la chaise, tenir de 10 secondes à 3 minutes, puis augmenter progressivement la durée.

Figure 6.17
Chaise avec renforcement du dos. Dos appuyé au mur, bras pendants, omoplates en position neutre, ni trop en avant ni trop en arrière, rapprocher les omoplates vers la colonne vertébrale, expirer et tenir 5 secondes, inspirer puis relâcher durant 2 à 3 secondes. Augmenter la durée au besoin.

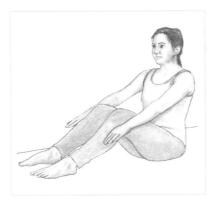 

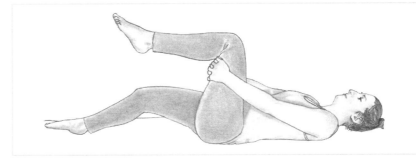

Figure 6.18
Renforcement des grands droits et transverses. Assis par terre, genoux fléchis, jambes parallèles et pieds à plat, placer les mains de chaque côté des genoux et dérouler progressivement la colonne vertébrale en penchant le dos jusqu'au plancher.

Commencer par le sacrum, les vertèbres lombaires, les vertèbres thoraciques, puis déposer la tête en gardant une légère flexion cervicale. Le mouvement complet doit être exécuté en dix secondes.

Pour remonter, s'agripper à une cuisse et se donner un élan vers le haut. Le mouvement complet peut être répété jusqu'à dix fois.

Le deuxième exercice se concentre sur les petits et les grands obliques (figure 6.19). Enfin, on devrait compléter par un dernier exercice servant à réchauffer la partie inférieure du grand droit près du pubis. Pour ce faire, il suffit, une fois allongé, les bras le long du corps, de remonter les jambes fléchies au-dessus du tronc, tout en laissant la tête et les épaules reposer au sol et les jambes parallèles. On soulève ensuite progressivement le bassin du sol en expirant. Il faut inspirer dans le bas de la cage thoracique avant de redescendre tout doucement, en évitant que le bassin ne frappe durement le sol. Répéter l'exercice entre 10 et 20 fois. S'il est fait avec les jambes croisées, on doit le faire en alternant la jambe qui est posée sur l'autre.

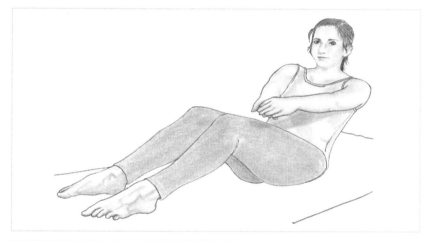

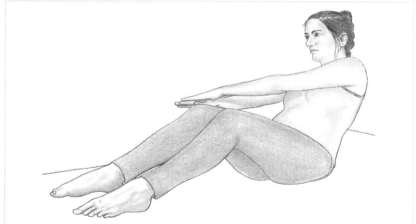

Figure 6.19
Renforcement des petits et grands obliques. Assis par terre, genoux fléchis, jambes parallèles et pieds à plat, placer les mains l'une sur l'autre et les placer en alternance à côté du genou gauche et à côté du genou droit en tenant la position durant dix secondes.

Dérouler ensuite la colonne en appuyant graduellement le dos au sol, puis remonter en s'agrippant à une cuisse (comme dans la figure 6.18). Recommencer jusqu'à 10 fois maximum, soit 5 fois par côté.

« Je suis très physique, et même sportive. Je fais un entraînement cardio-vasculaire approprié à ma façon d'interpréter les chansons. Plus je suis en forme, plus je me sens forte intérieurement et meilleure est ma voix. Je suis certaine qu'une bonne forme générale influe sur la voix. Je fais également des étirements pour améliorer et conserver ma souplesse. Cette souplesse du corps est d'autant plus naturelle pour moi que j'ai fait du ballet classique, de la gymnastique, du ballet jazz et de la danse moderne tout au long de ma jeunesse. Je suis absolument convaincue que c'est ce qui m'a permis jusqu'à maintenant d'être performante sur scène pendant des heures, bref d'avoir un souffle et une endurance à toute épreuve. »

Lulu Hughes

EXERCICES D'ÉTIREMENT

Les exercices d'étirement devraient toujours clore une séance de réchauffement. Les étirements remettent les muscles en place et les détendent de l'effort qui vient d'être fourni, ce qui les rend aptes à entrer en action. Les étirements sont exécutés du haut en bas comme le programme de réchauffement. Ils devraient toujours se terminer par l'étirement global.

EFFLEURAGE DU COU

L'effleurage est une technique de massage qui consiste en

de légers glissements exécutés avec le plat de la main ou la partie charnue des doigts sur la surface cutanée. Pour effleurer le cou, appliquer la main sur la gorge du côté opposé de la main et faire glisser la main en descendant sur la gorge jusqu'au sternum. Répéter quelques fois de chaque côté.

ÉTIREMENT DES PECTORAUX

Rapprocher les mains derrière le dos, entrelacer les doigts et les remonter vers le haut.

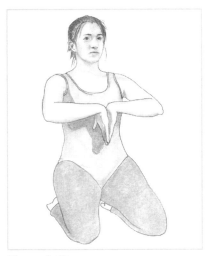

Figure 6.20
Étirement des poignets. En position assise, les coudes à angle droit par rapport au tronc, placer les mains dos à dos, les paumes vers l'avant-bras.

S'agenouiller et placer le dos de la main au sol, les paumes vers la face antérieure de l'avant-bras. Dans les deux cas, appliquer une légère pression sur les poignets.

ÉTIREMENT DES POIGNETS

L'étirement des poignets est re-commandé entre les différents exercices de déblocage vocal. Il s'agit de reposer les poignets en exécutant une flexion. Il y a deux manières de le faire : soit en plaçant les mains dos à dos, soit en les plaçant dos au plan-cher (figure 6.20).

Dans les deux cas, il s'agit d'ap-pliquer doucement un peu de pression sur les poignets, sans forcer. Tenir la position entre 10 et 15 secondes puis relâcher en douceur.

ÉTIREMENT DES ABDOMINAUX

Sur le dos, genoux fléchis, re-lever le bassin vers le haut en gardant appui sur les pieds et les omoplates, tout en tapotant doucement votre abdomen.

ÉTIREMENT DES RHOMBOÏDES

Bras tendus devant à la hauteur des épaules, paumes tournées vers l'extérieur et doigts entre-lacés, arrondir le haut du dos et tenir 15 secondes.

ÉTIREMENT DES TRICEPS

Les bras pliés au-dessus de la tête, la main gauche sur le coude droit, tirer sur le coude vers la ligne médiane du corps et tenir 15 secondes.

ÉTIREMENT DES QUADRICEPS

S'appuyer au mur, tenir son pied droit avec la main droite et rapprocher le talon près de la fesse, tenir entre 20 et 25 secondes.

ÉTIREMENT GLOBAL

L'étirement global peut être fait en tout temps quand la tension gagne le cou, les épaules ou la ceinture scapulaire ou que se fait sentir une fatigue dans la position debout (figure 6.21). Il a le mérite de détendre aussi les triceps, les rhomboïdes et les quadriceps. On s'asseoit sur ses talons, on pose les épaules sur le sol en plaçant les bras au-dessus de la tête et on se relâche pendant quelques secondes.

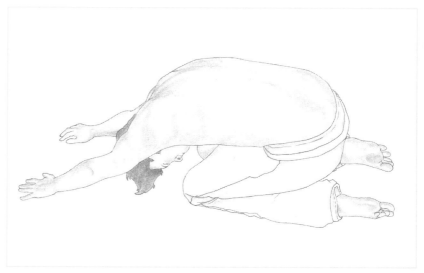

Figure 6.21
Étirement global. À genoux, assis sur les talons, lever les bras au-dessus de la tête et pencher tout le tronc à partir de la taille jusqu'au sol, puis laisser reposer les épaules sur le sol. Compter entre 15 et 20 secondes et se relever.

CHAPITRE 7

COMMENT LIBÉRER MA VOIX?

L E CHANT PROFESSIONNEL EST TROP SOUVENT CONSIDÉRÉ comme une performance obligée assortie de critères sévères. Cela conduit parfois le chanteur à perdre de vue que son travail premier consiste à développer une forme d'expression qui lui vient de l'intérieur. Les sons sont là pour traduire sa créativité, ils ne sont pas le siège de sa créativité. Son instrument, c'est son corps, et ce qu'il exprime, c'est toute sa personne. De ce point de vue, la formation des chanteurs est trop souvent déficiente.

C'est pourquoi le travail d'un professeur de chant compétent ne peut se résumer à enseigner des chansons et à s'assurer que les notes sont justes ou les effets réussis. Il peut et doit aussi observer les voix de ses élèves comme autant de symptômes de ce qui se passe à l'intérieur. Il doit s'entraîner à percevoir les logiques musculaires internes des sons produits pour déchiffrer les processus de respiration et de phonation dont ils procèdent. Cette pratique permet de percevoir les restrictions qui se manifestent dans la voix et de conduire le chanteur à s'exprimer dans une voix plus cohérente avec sa physiologie, dans une voix plus naturelle.

CAUSES DES BLOCAGES

On peut sans peine affirmer que tout ce qui bloque le corps bloque la voix et, inversement, que tout ce qui libère le corps libère la voix. On a dit de mille et une façons que les tensions sont nocives pour la voix, qu'elles se logent dans la gorge, les mâchoires, l'abdomen ou le plancher pelvien. En fait, tout

ce qui entrave la posture et la coordination des muscles du tronc et des muscles fins de l'appareil respiratoire et vocal altère la qualité vocale. Toutefois, les blocages physiologiques, énergétiques ou circulatoires ne sont pas toujours dus à une mauvaise forme physique. Il arrive fréquemment qu'un chanteur s'entraîne régulièrement et jouisse d'un état de santé apparemment satisfaisant, tout en présentant des restrictions d'origine inconnue qui affectent sa performance vocale : la voix manque de stabilité, la projection manque de puissance, les harmoniques manquent de richesse.

Il ne s'agit pas ici d'énumérer les causes de ces blocages, car elles sont infinies. Chaque personne réagit de manière différente aux divers stimuli et enregistre différemment les expériences dans son corps. Le chanteur doit tout simplement prendre conscience que tout, dans son corps, est relié. Toutes les émotions refoulées qu'il n'a pas voulu admettre et qu'il a mises de côté, toutes les compréhensions qu'il s'est

données depuis la naissance se sont inscrites en lui et ont peut-être pour effet d'atténuer son rendement vocal. Il doit donc apprendre à faire confiance à cette mécanique extrêmement sophistiquée et aller courageusement à la rencontre de lui-même. Il doit s'accorder du temps pour écouter ce qui monte en lui, identifier les nœuds et les désaccords, et amorcer, s'il y a lieu, un processus de déblocage vocal.

DÉROULEMENT DU DÉBLOCAGE

Indépendamment des causes et quelle que soit l'approche utilisée, l'objectif du déblocage est de permettre l'ouverture du corps et de la voix. Comme pour tout nouvel apprentissage, le chanteur amorce généralement sa connaissance de lui-même avec une relative superficialité, pour ensuite s'autoriser, au fur et à mesure du travail, à aller avec courage de plus en plus profondément en lui-même, et à faire le lâcher prise nécessaire. Plus il va à l'essentiel, plus se libèrent les tensions affectives, plus s'installe profondément en lui le calme propice à la prestation vocale.

Toute personne qui s'engage dans cette direction se rend compte que c'est comme un fil qui se déroule. Il lui faut simplement collaborer au processus de déroulement. On observe que le processus ne se déroule jamais de la même façon d'une personne à une autre, mais que la libération des tensions donne presque toujours lieu à des démonstrations de rires et de pleurs, à des réactions spontanées, bref à tout ce qui se passe normalement lorsque des tensions sont libérées.

L'expérience démontre que, lorsque l'approche convient, et même si la personne a l'impression de ne pas bien chanter ou de chanter faux, soudain tout débloque en même temps. Sans savoir ni pourquoi ni comment, on ressent que s'est opérée une ouverture du corps et de l'esprit. On est forcé de constater que des niveaux intérieurs sont éveillés et que le corps du chanteur se transforme véritablement en instrument

de musique. Assister à pareille naissance est l'une des grandes joies du professeur de chant.

Pour sa part, le chanteur sentira son « son » aller jusque dans le fond de la tête ou très bas dans le ventre. De vastes possibilités s'offriront désormais à lui et il devra apprivoiser son nouvel instrument. Comme des outils dont il a oublié l'utilité, il explorera une plus grande variété de vibrations et apprendra à les mettre au service de nouvelles formes d'expression.

TECHNIQUES DE DÉBLOCAGE

Il n'est pas rare que les professeurs de chant s'appuient sur des techniques issues de sciences extérieures au monde du chant telles que le yoga, l'acupuncture, l'ostéopathie, la psychologie et la psycho-rééducation, pour enrichir leur inventaire de moyens de soutien et d'entraînement des chanteurs.

Au Conservatoire de musique et d'art dramatique du Québec à Montréal, par exemple, on

enseigne aux chanteurs le Zhi-Meng Qi-Gong, une routine de mouvements durant laquelle les élèves en chant se concentrent sur le trajet des lignes de circulation de l'énergie et du sang dans le corps (méridiens) pour faire circuler et tonifier l'énergie (Qi). L'art du yoga, qui partage avec le chant des techniques de respiration et de détente, est également un outil éprouvé pour aborder le corps et l'esprit.

On ne peut promouvoir l'idée que c'est le corps au complet qui constitue l'instrument du chanteur, sans être à la recherche de nouveaux savoirs sur les mécaniques interne et externe du corps et de nouveaux moyens de lui donner la forme nécessaire. Toutefois, la prudence est de rigueur.

Dans la mesure où la méthode est éprouvée, il n'y a pas de problème pour le professeur à expérimenter, mais en prenant soin de toujours rester attentif aux effets sur la performance et la voix du chanteur. On présume que l'expérience ne sera menée que si elle est véritablement nécessaire. Si le chanteur explore par lui-même des avenues alternatives, il lui est fortement conseillé d'en discuter avec son professeur et de se faire accompagner dans sa démarche par des personnes de son entourage dans lesquelles il a confiance.

Le professeur de chant est souvent confronté à des types d'anomalies vocales qui ne semblent pas à première vue d'ordre médical. Il est recommandé de toujours faire confirmer cette première évaluation en incitant l'élève à consulter un médecin. Si et quand le résultat de l'analyse médicale est négatif, le professeur doit songer à consulter d'autres professionnels, mais surtout il doit éviter de s'y substituer.

DÉBLOCAGE PAR LA PSYCHOTHÉRAPIE

La psychologie offre diverses approches intéressantes permettant au chanteur d'entreprendre une démarche personnelle sérieuse. L'essentiel, c'est que l'approche et la personnalité du psychologue conviennent à la personnalité et aux difficultés du chanteur. Il faut toutefois « mettre un bémol » quant au recours à des psychothérapeutes. Tout comme n'importe qui peut s'improviser professeur de chant, n'importe qui peut s'improviser psychothérapeute. Ces formations ne sont pas normalisées et ne sont pas soumises à la surveillance d'un ordre professionnel, et ce, aussi bien en Amérique qu'en Europe. On ne saurait trop recommander au chanteur d'être vigilant face à ceux qui prétendent pouvoir traiter tous les problèmes. Sans doute faut-il aussi le mettre en garde contre les approches de tendances mystiques.

Une méthode ressentie comme une agression, pour le corps ou l'esprit, ou reposant sur la relation de maître à disciple, est assurément questionnable. L'idéal, c'est que le chanteur se sente en tout temps responsable de sa démarche et ne délègue à personne le pouvoir de reconnaître ce qui lui convient. La personnalité et la mécanique d'un chanteur sont trop fragiles et trop précieuses pour être prises à la légère.

En revanche, le chant est maintenant de plus en plus utilisé auprès de profanes qui recherchent un outil de libération du corps et de l'esprit. En effet, plusieurs psychologues réfèrent à des professeurs de chant leurs patients aux prises avec des maladies physiques ou psychologiques. La valeur thérapeutique du chant est assimilable à celle du yoga, puisqu'il entraîne à respirer profondément et induit la détente nécessaire à la pleine expression. Le professeur doit faire preuve de beaucoup d'énergie pour donner au chanteur la force de progresser dans son équilibre psychique.

DÉBLOCAGE PAR L'ACUPUNCTURE

Certains acuponcteurs se sont intéressés aux applications de leur discipline chez leur clientèle de chanteurs et de chanteuses.

Tout spécialement lorsqu'il y a certains blocages ou difficultés sur lesquelles il apparaît difficile d'agir de prime abord, l'acupuncture peut amorcer le processus d'ouverture. Elle peut détecter un blocage énergétique installé dans une partie du corps du chanteur, que ce soit une mâchoire rigide ou une baisse d'audition.

Le principe de l'acupuncture est fort simple : le corps humain est traversé de méridiens, c'est-à-dire de lignes de courant le long desquelles l'énergie et le sang circulent pour assurer le bon fonctionnement des organes vitaux, des entrailles, des tissus et des organes sensoriels. Ces courants conduisent les réactions et les sensations de blocage qui servent au diagnostic, mais aussi, à l'inverse, les sensations d'arrivée d'énergie qui proviennent des points stimulés par l'acuponcteur.

En ce sens, l'apport de l'acupuncture au déblocage vocal peut être valable. En allant au-delà des tensions inscrites dans la couche musculaire pour toucher et libérer ce qui est sous-jacent, l'acupuncture devrait normalement augmenter la fluidité des tissus. Comme la moindre hésitation est désastreuse pour la beauté d'une voix, une énergie corporelle libre de toute résistance ne peut que soutenir

la production de notes justes et harmonieuses.

Il est aussi arrivé que des séances d'acupuncture aient un impact notable sur la qualité de la voix alors que le traitement n'était pas destiné à cette fin.

Dans ces cas, l'explication avancée est toute simple : la voix a besoin de grandes réserves d'énergie pour s'exprimer de façon optimale et l'acupuncture rend justement disponibles les énergies qui circulent dans le corps. Les systèmes du corps assurant l'équilibre énergétique en liens plus étroits avec la voix humaine avaient été stimulés, soit les reins et leurs relations avec les poumons, les sphincters, le foie et la rate.

Le chanteur qui recoure à l'acupuncture pour sa capacité à équilibrer la quantité d'énergie et sa circulation peut réussir à déprogrammer une tension, mais si la région du blocage se tend à nouveau, le chanteur peut devoir lui adjoindre une autre approche visant la compréhension des causes du blocage.

DÉBLOCAGE PAR LE YOGA

Les diverses techniques issues des doctrines traditionnelles du yoga et des arts martiaux, dont le Tai-Qi et le Qi-Gong, sont régulièrement utilisées pour seconder le travail du chanteur. En plus d'améliorer l'équilibre général, elles ont l'avantage d'aider le corps à prendre de l'expansion à l'intérieur, par des techniques de respiration, et à l'extérieur, par des exercices d'assouplissement et d'extension qui travaillent le corps en souplesse et en force.

Malgré l'existence de plusieurs techniques de déblocage, il paraît sage de proposer aux jeunes chanteurs un programme de déblocage vocal dont les exercices sont inspirés du yoga, une méthode éprouvée et fréquemment utilisée dans l'enseignement du chant.

PROGRAMME DE DÉBLOCAGE VOCAL

Voici quelques exercices tout simples spécifiquement conçus pour harmoniser le corps et la

Mouvement

Placer les bras devant la poitrine de manière que le dessus des mains soit tourné vers soi et que les doigts se touchent.

Ancrer les talons et le sacrum au sol pour qu'il se crée un espace entre les vertèbres et que les bras puissent aller vers l'arrière sans déséquilibre.

Lever les bras jusqu'à ce qu'ils passent au-dessus de la tête pendant que le regard suit vers le plafond ou le ciel.

Respiration

Quand le dos est arqué vers l'arrière, commencer à respirer par la bouche pour aller en profondeur.
Descendre la respiration jusqu'au niveau des reins.
Expirer lentement en s'aidant du son « tsssss ».

Figure 7.1 Exercice d'enracinement

voix, qui jumellent des positions du yoga et des vocalises. Ils ont été expérimentés avec succès par des générations de chanteurs et ont démontré leur grande efficacité pour le déblocage vocal. Ils permettent aux chanteurs d'améliorer le passage de l'air pulmonaire vers l'extérieur en ouvrant correctement tout le corps jusqu'au larynx. Les tensions ainsi libérées permettent au chanteur d'améliorer la qualité et la projection des sons.

Dans tous les cas, il est fortement recommandé de s'en abstenir en présence de douleur au dos, aux genoux ou aux chevilles. Notons, enfin, que les exercices de déblocage devraient toujours commencer par un exercice d'enracinement.

ENRACINEMENT

L'enracinement constitue la première phase de tout programme de déblocage (figure 7.1). En yoga et en biomécanique, l'enracinement est la base de l'équilibre et de l'alignement au centre du corps. Enraciné veut dire que l'énergie part du

tronc, descend dans les jambes et va vers le sol. Les tensions passent souvent par les jambes chez les chanteurs ; l'atténuation des tensions du haut vers le bas dans une « prise à la terre » vraiment efficace assure la stabilité requise au lâcher prise. En chant, plus le chanteur est enraciné, plus sa voix gagne en basses fréquences. La respiration devient plus canalisée, plus dynamique, et génère beaucoup de chaleur à l'intérieur du corps.

Il se peut que cet exercice d'enracinement provoque des pleurs, tout simplement parce que la respiration descend jusqu'aux reins et touche en même temps le siège des glandes lacrymales.

DÉBLOCAGE DES HANCHES ET DU PLEXUS

On sait que le corps enregistre des émotions qui peuvent nuire à la voix, si elles ne sont pas évacuées. Les émotions de la colère et de la douleur s'accumulent sous forme de tensions le long de la colonne ver-

tébrale. Les fesses, les hanches et les mâchoires absorbent les agressivités. Les tensions au niveau du plexus solaire et de la poitrine sont davantage engendrées par des peurs ou des peines accumulées.

L'exercice d'extension arrière qui permet de débloquer les hanches et le plexus s'exécute à l'aide d'un shogi (figure 7.2). C'est une variante du Supta Virasana, la posture du héros qui se détend. Il permet de libérer les différentes tensions et les peurs qui empêchent l'énergie de circuler librement dans le corps. On le jumelle à la vocalise U, É, I, OU, A, YÉ., YI, YOU, YA, qui amorce une vibration au-dessus de la lèvre. La vibration se propage ensuite en ondes successives dans tout le corps.

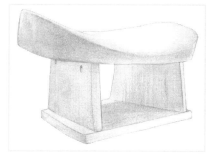

Figure 7.2 Shogi

Mouvement

Se procurer un shogi, petit banc au siège de forme arrondie.

Placer ses ischions sur le bout du shogi.

Glisser les omoplates vers l'arrière.

Déposer les mains au sol, les doigts vers les fesses.

Pencher la tête vers l'arrière et la maintenir alignée avec la colonne vertébrale.

Respiration

Respirer par la bouche en levant le bassin pour faire circuler l'énergie du bas vers le haut.

Expirer lentement en prononçant les voyelles U, É, I, OU, A, YÉ, YI, YOU, YA et terminer par le son « tsssssss ».

Redescendre le bassin.

Reprendre le mouvement du bassin en montant d'un demi-ton à chaque fois. Une fois la hauteur maximum atteinte, redescendre d'une octave.

Figure 7.3 Déblocage des hanches et du plexus

Cet exercice de déblocage aide notamment à détendre les muscles des cuisses et de l'abdomen, en agissant de manière à assouplir les psoas, ces longs muscles qui assurent la flexion du fémur. Il repose aussi les jambes fatiguées et ouvre toute la région de l'abdomen et de la cage thoracique (figure 7.3).

DÉBLOCAGE CŒUR-POUMONS

L'exercice de déblocage de la région thoracique (figure 7.4) emprunte aux premiers mouvements du Viparita Dandasana destiné à revigorer les poumons et le cœur. Tout en massant le cœur en douceur et en augmentant la flexibilité de la colonne vertébrale et des épaules, il contribue à renforcer tout le corps. C'est une posture très puissante : en élevant le sacrum, elle permet au flux d'énergie de se diriger vers les poumons et d'améliorer la respiration. Cet exercice aide à détendre et relaxer l'esprit, à construire une stabilité intérieure qui amé-

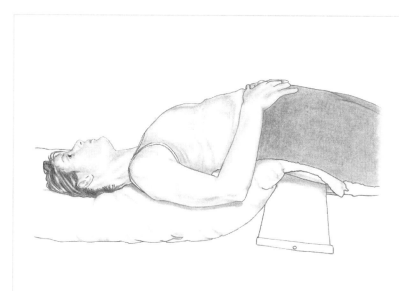

S'allonger sur le dos.

Déposer l'arrière de la tête sur un oreiller.

Placer le shogi sous le sacrum.

Allonger les jambes.

Rapprocher les omoplates vers l'intérieur et créer un espace pour le cou. Il n'est pas recommandé de mettre beaucoup de poids sur la colonne vertébrale, surtout sur la septième vertèbre cervicale.

Respiration

Expirer lentement en prononçant : YÉ, YI, YOU, YA.

Répéter l'exercice en montant d'un demi-ton chaque fois.

Figure 7.4 Déblocage de la région cœur-poumons

liore la confiance en soi. Elle stimule également les glandes, empêche les artères de se bloquer, augmente la capacité des poumons, favorise la digestion et protège contre d'éventuels maux dans la région lombaire.

DÉBLOCAGE DE LA COLONNE VERTÉBRALE

L'exercice de déblocage de la colonne vertébrale proposé ici (figure 7.5) est une variante de la position du Tadasana Urdhva

Mouvement

Se placer debout, le dos appuyé sur un mur.

Laisser les bras tomber de chaque côté du corps sans les étirer.

Enraciner solidement les talons au sol.

Élever les orteils vers le ciel.

Allonger la colonne vertébrale en levant les bras au-dessus de la tête, paumes tournées vers le ciel.

Figure 7.5 Déblocage de la colonne vertébrale

Baddha Hastasana, la pose debout. L'extension de la colonne vertébrale que permet cet exercice améliore la verticalité tout en libérant la colonne de ses tensions. Elle permet d'évacuer la colère et augmente la confiance en soi. On l'utilise aussi pour induire un état propice au traitement des dépressions et soulager l'ensemble des dysfonctionnements de la colonne.

DÉBLOCAGE DE LA CEINTURE SCAPULAIRE

L'exercice de déblocage de la ceinture scapulaire complète les divers déblocages à effec-

Mouvement

Prendre une position debout les bras en croix et les pieds très espacés.

Tourner l'un des pieds à un angle de 90° par rapport à l'autre.

Fléchir la jambe dont le pied ouvre sur le côté en descendant vers le sol tout en gardant un angle constant par rapport au pied qui est dans l'axe de la tête.

Assurer un appui au sol avec la main située du côté du pied ouvert.

Amener l'autre bras le long de la tête de manière à former une ligne droite avec la jambe au pied à angle droit.

Fléchir la cheville du pied en angle pour faciliter l'obtention de la ligne droite.

Respiration

Inspirer profondément et expirer lentement en prononçant : « tsssss ».

Tenir la position le temps de répéter quelques respirations.

Répéter le même mouvement de l'autre côté.

Figure 7.6 Déblocage de la ceinture scapulaire

tuer dans le programme. Il est inspiré d'une posture d'extension latérale, le Utthita Parsvakonasana, destinée à corriger le mauvais positionnement des épaules et des omoplates (figure 7.6). Cet exercice soulage les maux de dos, les tensions du cou et les douleurs menstruelles ; il stimule aussi la digestion. Si l'exercice est trop exigeant au début, on peut le faire avec un genou au sol et tenter par la suite de se rapprocher le plus possible de la ligne droite en conservant l'extension de la jambe.

« Aujourd'hui, je sais que la voix est directement reliée aux émotions. Lors du décès de ma mère, la tristesse que j'ai éprouvée m'a permis de comprendre que je pouvais utiliser cette pulsion émotive pour ouvrir d'autres passages dans ma voix. Par exemple, un jour où je devais chanter une chanson de Michel Berger, j'étais triste et j'avais très envie de pleurer. J'ai eu beau reprendre l'enregistrement, je n'arrivais pas être satisfaite du résultat, quelque chose ne passait pas dans ma voix. Ce n'était pas une question de justesse, ni de synchronisme, ni d'intention, mais le fait que je ne parvenais pas à sortir cette tristesse de moi. En d'autres mots, il faut comprendre que des sanglots retenus empêche d'avoir toute la liberté d'expression nécessaire pour interpréter une chanson. Aujourd'hui, j'entends tout, le travail, le texte, l'intention. Je considère ma voix comme un instrument dont je suis fière, car je sens que je deviens la chanteuse que j'ai toujours voulue être. Il m'est désormais agréable d'écouter le travail que je fais. »

Laurence Jalbert

CHAPITRE 8

LA VOIX EST-ELLE SI FRAGILE?

LES TROUBLES DE LA VOIX, QUE L'ON REGROUPE SOUS LE NOM de dysphonie, sont communs. Qui n'a pas, un jour ou l'autre, vécu une altération de sa qualité vocale lors d'un rhume ou après un usage prolongé de la voix. On entend fréquemment dire qu'un chanteur a « cassé » sa voix. En fait, cette expression est un terme du langage courant qui recoupe différentes causes de modifications acoustiques de la voix. Aussi faut-il, quelle que soit l'altération observée, un bon examen médical pour établir le diagnostic et le traitement approprié.

En général, ces variations de la qualité vocale sont temporaires et l'identité vocale est préservée. Les fluctuations de la voix reflètent aussi notre état d'âme et notre bien-être. Il importe donc au chanteur de prendre conscience de son identité vocale, cette voix unique qui est la sienne, et de reconnaître dans sa voix les changements révélateurs de désordres de l'organe phonatoire.

DIAGNOSTIC D'UN TROUBLE DE LA VOIX

La nature d'un trouble vocal ne peut être déterminée qu'à l'écoute de la voix. Le diagnostic ne saurait toutefois être fondé sur cette évaluation perceptuelle de la voix. Seul l'examen direct du larynx permettra de conclure à la nature du problème. Néanmoins, il est possible de déduire la présence d'un désordre du mécanisme phonatoire à partir de manœuvres vocales. Par exemple, une voix faible et éteinte suggère une fermeture glottique incomplète ou un support respiratoire déficient. Une voix rauque

laisse supposer une lésion sur la corde vocale ou une tension laryngée.

Il faut distinguer les troubles qui ne sont manifestes que dans la voix chantée, de ceux qui affectent la voix parlée et chantée. Ainsi, selon sa nature et sa localisation, il est possible qu'une lésion vocale n'affecte qu'une partie de l'étendue vocale. Les transitions de registre, le fausset et le haut registre sont des manœuvres très sensibles à la présence d'une lésion. En général, la dysphonie de la voix parlée se répercute dans la voix chantée.

TYPES DE DYSPHONIE

On classe les diverses formes de dysphonie selon qu'elles sont d'origine fonctionnelle ou organique.

Les troubles fonctionnels sont de nature biomécanique. Ils résultent d'une tension musculaire excessive ou inadéquate pour soutenir la phonation. Les erreurs techniques lors du chant en sont un bon exemple.

Les dysphonies fonctionnelles de la voix parlée sont souvent de nature psychogène. La dépression et l'émotivité refoulées s'expriment par une voix faible et voilée. Le stress et l'angoisse accompagnés d'un débit vocal rapide rendent la gorge tendue et la voix étranglée.

Les troubles organiques sont liés à la présence d'une atteinte à l'intégrité de l'organe phonatoire. Les lésions les plus communes sont de nature inflammatoire ou traumatique, par exemple une laryngite ou un hématome.

Quoi qu'il en soit, l'organe phonatoire est très malléable et démontre une grande capacité d'adaptation biomécanique à des désordres organiques ou fonctionnels. C'est ainsi que le professionnel de la voix ou le chanteur pourra modifier sa technique vocale en présence d'une lésion organique.

SYMPTÔMES

Les symptômes de la dysphonie sont subtils et souvent ignorés. Plusieurs paramètres acoustiques sont affectés : l'intensité, la tonalité, la justesse du son, la résonance. La voix de la femme trahit la dysphonie plus facilement que celle de l'homme. Toute baisse dans la tonalité de la voix de la femme est perçue comme anormale, alors que la raucité chez l'homme est socialement acceptable.

RAUCITÉ

Au-delà d'une altération de l'acoustique de la voix, la raucité dénote une perte de l'efficience phonatoire. Cette déficience se manifeste par une fatigue vocale et un inconfort laryngé. La raucité vocale est parfois désirée par un chanteur à la recherche d'une identité et d'un répertoire, mais elle doit être obtenue par des moyens autres que le forçage de la voix par l'augmentation de la pression sous les cordes vocales.

FATIGUE VOCALE

La fatigue vocale est une sensation d'effort pour soutenir la voix. Cet effort est ressenti dans les muscles thoraciques et cervicaux ; il s'accompagne parfois d'une lourdeur dans la gorge et d'une fatigue générale du corps. La fatigue entraîne une restriction de l'étendue vocale et une instabilité du son. Malgré une détérioration évidente de la qualité vocale, la fatigue de la voix parlée est trop souvent ignorée par l'individu qui ne respecte pas les signes que lui donne son corps.

INCONFORT LARYNGÉ

L'inconfort laryngé comprend, en fait, une variété de symptômes qui sont ressentis dans la gorge. Il peut s'agir de sensations très ennuyeuses de sécrétions ou de « boule » dans la gorge occasionnant le raclage et l'expectoration (« dégourmage »). Les irritations, les brûlements et les maux de gorge indolents sont des signes d'inflammation et d'infection. Les tensions musculaires sont aussi ressenties comme des douleurs dans la gorge, en particulier au niveau de l'os hyoïde.

LARYNX DOULOUREUX

Les chanteurs présentent quelquefois une douleur dans la région latérale du larynx. La palpation de la corne thyroïdienne supérieure sera douloureuse. Cette condition résulte d'un étirement musculaire et ligamentaire du mécanisme de suspension laryngé causé par une technique vocale faisant appel à une utilisation excessive de la musculature supra-hyoïdienne, par exemple l'atteinte des notes hautes par l'élévation du menton. Typiquement, cette douleur est unilatérale, ce qui témoigne d'une asymétrie posturale.

PATHOLOGIES QUI AFFECTENT LA VOIX

Les troubles de la voix sont multifactoriels. Plusieurs pathologies simultanées contribuent à l'émergence d'une lésion vocale. Ainsi, toutes les pathologies inflammatoires rendent le larynx vulnérable aux traumatismes phonatoires. Par exemple, l'hémorragie sur une corde vocale déjà enflammée lors d'une laryngite (figure 8.1a et b, voir les planches en couleurs).

Le larynx est souvent victime de pathologies qui proviennent

« Je possède une voix résistante qui m'a permis très souvent de donner cinq spectacles par semaine sans problème. Chaque année, je subis un examen des cordes vocales et jamais je n'ai souffert de nodules ou de quoi que ce soit d'autre. Toutefois, à certains moments et dans certaines circonstances que je ne parvenais pas à identifier, la voix me manquait. Mon entourage me disait que ce devait être la nervosité croissante du métier. Pourtant, je n'étais pas plus nerveuse qu'à l'habitude. Alors, j'ai consulté différents spécialistes et, en 2002, l'un d'eux a découvert que mon œsophage et mon pharynx étaient rouges, presque brûlés : je souffrais de reflux gastrique. Heureusement, grâce à ce diagnostic et à un traitement approprié, j'ai pu régler presque tous mes problèmes de voix. Malgré que cette dysfonction soit d'origine génétique et que chaque jour je doive prendre une médication, je suis rassurée d'en savoir la cause. Quand un chanteur me parle de ses problèmes de voix, je lui conseille aussitôt de vérifier cette hypothèse. Pour trois chanteurs, le diagnostic a été aussi le reflux gastrique. »

Laurence Jalbert

des voies respiratoires (nez, sinus, bronches et poumons) ou digestives (œsophage et estomac). Parmi les troubles respiratoires qui affectent la voix, les sinusites et les rhinites accompagnées d'écoulement postnasal causent une enflure aux cordes vocales et des mucosités tenaces.

ASTHME

Pour sa part, l'asthme cause une restriction du débit expiratoire. Il est à noter que chez certains individus sensibles, le chant peut provoquer une forme d'asthme induite par l'effort physique. Les infections des voies respiratoires accompagnées de toux fatiguent le mécanisme vocal et leurs effets peuvent être ressentis bien après la résolution des symptômes aigus.

REFLUX GASTRO-ŒSOPHAGIEN

Le reflux gastro-œsophagien est un trouble digestif prévalant dans notre société. Il s'agit d'une régurgitation du contenu acide de l'estomac dans l'œsophage. Ce reflux est particulièrement nocif pour le larynx. L'inflammation qui en résulte affecte le cricopharynx situé à l'entrée de l'œsophage ainsi que la glotte postérieure. Les symptômes sont variés : sensation de boule dans la gorge, raclage, toux, irritation dans le fond de la gorge et dysphonie. Les symptômes digestifs que sont les brûlements d'estomac, la régurgitation acide et le rot fréquent ne sont pas toujours faciles à résoudre ; une revue exhaustive des habitudes alimentaires et digestives est nécessaire.

TROUBLES HORMONAUX

Les troubles hormonaux sont reconnus pour leurs manifestations vocales. De nos jours, le dépistage précoce des troubles hormonaux, en particulier de la thyroïde, lors de bilans sanguins et les thérapies efficaces ont presque éliminé les manifestations vocales de ces maladies. De même, les fluctuations dans la qualité vocale en relation avec le cycle menstruel normal sont rarement accompagnées de signes visibles sur les cordes vocales. Les chanteuses rapportent plutôt des variations dans l'énergie vocale en relation avec l'inconfort abdominal et la fatigue. Par contre, les irrégularités significatives dans le cycle menstruel peuvent amener une vascularisation et une enflure des cordes vocales. En revanche, les hormones de la grossesse ont plutôt un impact positif sur la qualité vocale.

PATHOLOGIES DES CORDES VOCALES

Par contre, un hématome sur les cordes vocales, sans modification du bord libre, est assez courant et disparaît en général en moins d'une semaine avec un traitement adapté et un repos vocal modéré.

En plus des pathologies respiratoires, digestives ou hormonales qui affectent la voix, il existe des pathologies spécifiques aux cordes vocales. Hormis la leucoplasie, ou cancer, qui peut aussi affecter les cordes vocales,

« J'ai très tôt remarqué qu'il faut exercer régulièrement sa voix pour la garder en forme. Je chante donc tout le temps pour maintenir ma voix réchauffée. C'est comme tout ce qui est physique. Si un batteur cesse de jouer pendant quatre ou cinq ans, il devra s'entraîner longtemps avant d'atteindre le niveau où il était quand il a laissé. Heureusement, je n'ai vraiment jamais éprouvé de problèmes avec ma voix, sauf quand je suis arrivée au Québec. Ayant grandi dans le Sud des États-Unis, je n'avais jamais vu de neige, et j'ai souffert de nombreuses laryngites. »

Nanette Workman

les principales pathologies des cordes vocales (voir les planches en couleurs) sont :

— le nodule,
— le polype,
— le kyste,
— la lésion vasculaire,
— la laryngite.

NODULE

Le nodule vocal est une pathologie bien connue malgré plusieurs malentendus qui persistent à ce sujet. Le nodule est une lésion bénigne qui résulte d'un traumatisme répété aux cordes vocales (figure 8.2). La lésion est similaire à une am-

poule : accumulation localisée de liquide séreux sous la surface de la corde vocale.

En général, le nodule est une petite lésion superficielle bien focalisée qui se retrouve simultanément sur les deux cordes vocales. Le tiers moyen de la corde vocale est l'endroit de prédiction puisque cette région reçoit le maximum de l'impact de la vibration. Une asymétrie dans la forme et la grosseur est fréquente.

Les nodules empêchent une fermeture glottique complète et il y a un échappement d'air à la phonation. Parfois le nodule est hémorragique telle une ampoule de sang (figure 8.3).

Les nodules ont un potentiel de guérison naturelle si le chanteur fait cesser le traumatisme vocal qui en est la cause. Cela requiert un repos complet de la voix et une rééducation de la voix parlée et chantée.

Les récidives sont fréquentes chez les chanteurs qui ne corrigent pas les habitudes vocales à la source du problème.

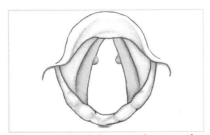

Figure 8.2 Nodules sur chacune des cordes vocales

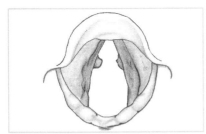

Figure 8.3 Nodule fibreux de la corde vocale gauche et nodule hémorragique de la corde droite

POLYPE VOCAL

Le polype vocal est une lésion bénigne similaire au nodule. Il se distingue du nodule par la variété de sa forme et de sa grosseur. Le polype est plus volumineux, pédonculé et de consistance hémorragique ou fibreuse (figure 8.4). Le polype est causé par un traumatisme aigu tel un cri ou un coup de glotte. Lorsqu'il est petit, le polype peut se résorber, mais pour y arriver, il faut respecter des restrictions vocales prolongées. Les polypes plus volumineux requièrent une chirurgie.

Le tabagisme cause une dégénérescence polypoïde diffuse des deux cordes vocales (figure 8.5, planches en couleurs). Cette pathologie n'est jamais complètement réversible même avec la cessation du tabagisme. Les chirurgies vocales améliorent la condition, mais il faut prévoir une dysphonie permanente. Le larynx de la femme est particulièrement susceptible aux effets néfastes du tabagisme. Le chanteur désirant préserver l'intégrité de ses cordes vocales devrait s'abstenir de fumer le tabac et tout autre drogue. L'exposition secondaire à la fumée de tabac assèche les cordes vocales et irrite les voies respiratoires. Éviter ces environnements n'est pas toujours compatible avec les exigences professionnelles ; aussi est-il préférable de minimiser la durée d'exposition aux fumées secondaires et de bien s'hydrater.

Figure 8.4 Polype de la corde vocale gauche

Figure 8.5 Dégénérescence polypoïde de la corde vocale droite avec œdème de Reinke

KYSTE

Contrairement au nodule et au polype qui sont des lésions superficielles, le kyste est une lésion qui s'installe sous la surface de la corde vocale (figure 8.6). Il est également de nature inflammatoire et traumatique et, plus rarement, congénitale.

Le kyste intracordal a un impact acoustique important puisqu'il alourdit la corde vocale et restreint sa vibration. Le repos vocal peut amener une certaine amélioration de la qualité vocale, mais la chirurgie constitue le seul traitement définitif.

LÉSION VASCULAIRE

La surface de la corde vocale est normalement dépourvue de vaisseaux sanguins. Pour diverses raisons peut apparaître une vascularisation anormale, notamment sous la forme de varices, ce qui témoigne de la présence d'une inflammation ou de séquelles d'un traumatisme. Ces lésions vasculaires sont souvent asymptomatiques, mais elles peuvent être une

« Après *Starmania*, j'ai consulté le Dr Erkki Bianco à Paris. À cette époque, nous avions tous des problèmes de voix, car on jouait cette comédie musicale sans chanteurs remplaçants, ce qui ne s'était jamais vu. Ma voix s'est cassée en plein spectacle. J'avais une grippe qui s'était compliquée d'une bronchite, et après des centaines de représentations, j'étais totalement épuisée, amaigrie, sans énergie. C'est alors que j'ai pris conscience que je chantais toujours quel que soit mon état de santé. Que je sois grippée ou fiévreuse, toujours on pouvait compter que je monterais chaque soir sur scène, prête à me donner au maximum, mais c'était trop pour mes cordes vocales. J'ai reposé ma voix et mes bronches, et mes cordes vocales sont peu à peu revenues à la normale sans que j'aie à recourir à des médicaments. »

Luce Dufault

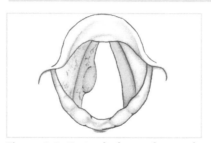

Figure 8.6 Kyste de la corde vocale gauche

Figure 8.7 Nodules hémorragiques des cordes vocales

source d'enflure et d'hémorragie sur la corde vocale (figure 8.7). L'amélioration de cette pathologie réside dans le traitement des conditions inflammatoires observées, tels le reflux gastro-œsophagien, les infections et les allergies. La chirurgie au laser pour exciser les varices est efficace lorsqu'on constate une histoire d'hémorragie répétée.

LARYNGITE

Le terme laryngite réfère à une inflammation non spécifique des cordes vocales (voir figure 8.1, planches en couleurs). Le

« En 1989, lors d'un spectacle à Sherbrooke au Québec — j'avais alors 21 ans —, ma voix s'est déchirée comme du papier mouillé après trois chansons ; j'avais l'impression de souffler dans un ballon crevé. René a dû monter sur scène, annuler le spectacle et rembourser les spectateurs. C'était terrible. J'étais terrorisée à l'idée de ne plus jamais pouvoir chanter ou de ne plus retrouver ma voix. J'ai alors consulté le Dr Marcel Belzile qui a diagnostiqué un possible polype. Après m'avoir expliqué les dangers de la cortisone et de la chirurgie, il a voulu s'assurer d'une deuxième opinion de la part de son professeur et mentor, le Dr William Gould. René et moi sommes immédiatement allés le rencontrer à New York, et grâce à une caméra perfectionnée qu'il était le seul à posséder à l'époque, il a regardé mes cordes vocales.

Le Dr Gould a alors confirmé que je présentais tous les signes d'une inflammation majeure des cordes vocales, mais pas de polype. Il me fallait passer par la chirurgie, à moins que je ne m'astreigne à un repos vocal complet, ce que j'ai tout de suite choisi, sachant les risques d'une chirurgie pour ma voix. Trois semaines de silence : ni parler, ni chanter, ni rire, pas même chuchoter, pas même en rêve ! Ce fut ma traversée du désert en plein cœur d'un congé de Noël. Je me faisais des scénarios, je m'imaginais devenir muette, et j'ai souvent pleuré, mais j'étais déterminée à tenir bon.

Trois semaines plus tard, quand j'ai revu le Dr Gould, mes cordes vocales étaient complètement guéries. Il a avoué à René qu'il ne croyait pas que j'aurais la discipline et la force de respecter ses recommandations à la lettre. À moi, il a dit que j'avais une voix extraordinaire, mais que je ne savais pas m'en servir, et que je devrais apprendre à chanter si je voulais faire une carrière internationale. J'aurais tout fait pour réussir, même réapprendre à chanter. Il m'a donc confié à son associé, le Pr William Riley, pour une rééducation vocale complète. Ce fut le point tournant de toute ma carrière ! »

Céline Dion

profane associe communément la laryngite à une infection virale des voies respiratoires, mais les causes sont diverses.

L'œdème diffus des cordes vocales abolit la vibration, et l'extinction de voix qui en résulte est hors de proportion avec la réelle sévérité de la pathologie vocale. Le repos vocal complet est incontournable.

La condition se résorbe dans les 5 à 7 jours. La persistance d'une dysphonie après 10 jours peut indiquer la présence d'une infection des voies respiratoires, ce qui requiert un traitement spécifique.

TRAITEMENTS

Comme les troubles de la voix sont multifactoriels, leur traitement n'est pas restreint à la pharmacothérapie. Il faut absolument inclure le repos vocal dans le plan de traitement ainsi que des modifications de la diète et des habitudes de vie sans négliger le contrôle de l'environnement allergène si cela s'avère pertinent.

Le repos vocal complet, c'est-à-dire le silence, est très propice à la guérison des lésions vocales traumatiques et inflammatoires. Certains médecins le recommandent sur des périodes allant de 4 à 6 semaines pour des pathologies dûment diagnostiquées, mais cela n'est pas toujours souhaitable pour un chanteur. Il ne faut pas perdre de vue que le silence complet, en plus de compromettre les relations personnelles et sociales, induit un déconditionnement vocal. Il est donc souhaitable de ne pas prolonger le silence au-delà de deux semaines.

Un bon compromis serait de diminuer de façon significative l'usage de la voix au quotidien tout en le permettant épisodiquement pour les besoins de communication essentiels. Il est préférable de s'en tenir à 20 minutes d'usage de la voix par heure pour un total 4 heures par jour, plutôt que de faire 4 heures consécutives suivies d'un repos. On peut diminuer progressivement les périodes de repos à chaque semaine

« Quand j'ai rencontré mon professeur de chant, le Pr William Riley, il a tout de suite vu que j'utilisais beaucoup trop ma voix, et ma voix parlée bien plus que ma voix chantée. Sa première réaction a été de m'entourer d'un ensemble de directives conçues pour créer un filet de sécurité autour de ma voix et de ma personne, une sorte de bouclier me permettant de faire face aux contraintes horaires, environnementales et professionnelles. Ses premiers conseils me furent si bénéfiques que j'en suis venue à lui faire confiance pour le réaménagement d'autres aspects de ma vie quotidienne en relation avec ma performance vocale. Je lui ai demandé de ne surtout pas chercher à m'épargner et de me dire exactement ce que je devais faire pour rester performante. À l'époque, je dormais 5 à 6 heures par jour : il a insisté pour j'en dorme huit — quitte à placer des gardes devant mes chambres d'hôtel —, et neuf en période d'utilisation intensive de ma voix, si je le pouvais. Pour ce qui est du travail vocal, il m'a donné une routine d'exercices destinée à rééduquer ma voix ; cette rééducation allait prendre des semaines ou des années dépendant de ma capacité à réduire l'utilisation de ma voix. Il m'a aussi conçu des exercices de réchauffement et d'assouplissement d'au moins une demi-heure à faire avant d'entrer en scène, des exercices de refroidissement à faire après les shows et des exercices de perfectionnement avancés — de longues périodes de vocalises — pour que ma voix progresse encore davantage. J'ai tout fait ce qu'on m'a conseillé, tout : ce qu'il fallait faire, à l'heure où il fallait le faire et autant de fois qu'il le fallait. Il m'avait prédit que ça prendrait cinq ans pour réapprendre à chanter et, effectivement, ce n'est qu'avec l'album *D'eux*, cinq ans plus tard que, comme par magie, tout s'est mis en place vocalement.

Ma voix s'est tellement améliorée que j'ai maintenant une absolue confiance en mes capacités vocales, ce qui me vaut d'entrer en scène chaque soir en sachant que je pourrai donner toute l'intensité émotive et vocale voulue, sans m'épuiser, convaincue que cette performance n'entamera pas mes réserves pour le soir suivant. »

Céline Dion

« On est souvent pressé par les compagnies de disques, par notre gérant, ou tout simplement par la vie. Il faut tout de même y aller en douceur et être à l'écoute de son corps. Lorsque qu'il faut absolument chanter et que, pour des raisons de santé, la voix n'est pas au rendez-vous, il faut rester prudent et ne pas trop recourir aux médicaments. Le chanteur est comme l'athlète qui, grâce à la médication, ne sent plus sa douleur, continue de pratiquer son sport avec intensité et aggrave sa blessure. »

Marie Michèle Desrosiers

THÉRAPIES MÉDICAMENTEUSES

Il n'y a pas de médications spécifiques pour les lésions vocales communes tels les polypes et les nodules. Les thérapies médicamenteuses sont axées sur les pathologies sous-jacentes que sont la rhinite, la sinusite, le reflux gastro-œsophagien et l'asthme.

selon les résultats de l'examen clinique. Pour une simple fatigue vocale, quelques jours de silence suffisent à reposer les cordes vocales.

Toutetefois, si cette fatigue est reliée à de mauvaises habitudes vocales, elle réapparaîtra tôt ou tard, et refera surface régulièrement ; dans ce cas, le chanteur ferait bien de consulter son professeur et son laryngologue pour apprendre à les corriger.

Il est utile ici de faire une mise en garde contre le chuchotement. En effet, le chuchotement ne repose en rien les cordes vocales ; au contraire, il laisse passer l'air en appliquant une certaine pression, et cette friction peut s'avérer plus dommageable aux cordes vocales que de parler normalement.

Le repos vocal complet est nécessaire à la suite d'une chirurgie des cordes vocales pour aider la guérison. Le retour progressif à la parole après deux semaines de repos est généralement guidé par un orthophoniste et, lorsque la voix parlée a retrouvé sa stabilité, la réhabilitation de la voix chantée peut être entreprise sous la supervision d'un professeur de chant compétent. Enfin, il importe de mentionner que, dans le cas de chanteurs, certains médecins oto-rhino-laryngologistes et phoniatres n'hésitent pas à intégrer un professeur de chant dans l'équipe de rééducation vocale.

L'antibiothérapie est efficace contre des conditions infectieuses des voies respiratoires, avec les réserves habituelles liées à la résistance aux antibiotiques de nouvelles souches microbiennes.

La corticothérapie a un effet thérapeutique dans les inflammations en phase aiguë, mais son efficacité est mitigée dans le traitement de pathologies chroniques. La corticothérapie à faibles doses et de courte durée, soit moins de deux semaines, est généralement bien tolérée. La corticothérapie prolongée est rarement indiquée étant donné ses effets adverses sur le métabolisme. Les corticostéroïdes en inhalation sont indiqués dans le traitement de l'asthme, mais leur efficacité dans le traitement des lésions des cordes vocales n'est pas prouvée.

Certains chanteurs aux prises avec une dysphonie désirent recourir à une corticothérapie d'urgence pour pouvoir rencontrer des exigences professionnelles immédiates.

Cette thérapie doit être prescrite en toute connaissance du diagnostic vocal et de manière judicieuse. Elle est particulièrement efficace pour le traitement d'une exacerbation allergique, mais elle est contre-indiquée en présence d'infection.

Il ne faudrait pas croire qu'un trouble de voix qui s'est développé progressivement sur quelques jours ou quelques semaines, par exemple chez un chanteur professionnel en tournée, pourrait être résolu en quelques heures par un tel traitement.

Quelques chanteurs notent, de plus, l'installation d'une certaine forme d'accoutumance aux corticostéroïdes.

« Quand je faisais partie de groupes de rock, au début de la vingtaine, j'ai appris à chanter dans les aigus. Dans les bars, les chanteurs chantaient vraiment très haut. Et on s'entêtait à forcer notre voix plutôt que de baisser la tonalité. On est plusieurs à s'être cassé la gueule à cette époque. Après huit ans, j'ai dû abandonner à cause de nodules aux cordes vocales. Ce fut ma première cassure dangereuse. Je suis allé voir un médecin qui a tout de suite voulu m'opérer, mais j'ai refusé. J'en ai consulté un deuxième qui m'a expliqué que je m'en sortirais si je suivais une cure de silence. J'ai donc cessé de parler pendant deux semaines, de chanter pendant deux mois, et de jouer dans les bars pendant un an. J'étais prêt à tout pour sauver mes cordes vocales. »

Bruno Pelletier

CHIRURGIE

La chirurgie des cordes vocales a mauvaise réputation parmi les profanes. Pourtant, les techniques modernes de microchirurgie au laser et la stroboscopie laryngée ont révolutionné le traitement des lésions vocales et grandement amélioré les résultats. Ces chirurgies sous anesthésie générale ne nécessitent pas d'hospitalisation et sont très bien tolérées. La crainte de perdre totalement la voix par suite d'une chirurgie n'est pas fondée. Néanmoins, il faut avoir des attentes réalistes quant à l'amélioration de la qualité vocale. Quelques principes doivent guider la décision de recourir ou non à une chirurgie vocale.

Les lésions vocales bénignes ne requièrent pas obligatoirement une chirurgie. L'objectif de la chirurgie est d'améliorer la qualité vocale et non de faire une correction esthétique. Il revient donc à l'individu de décider si son trouble de voix lié à une lésion vocale lui cause suffisamment de limitations fonctionnelles pour nécessiter une chirurgie. Plus ces limitations sont sévères (perte de l'identité vocale, dysphonie sévère de la voix parlée) plus la chirurgie peut s'avérer bénéfique.

Chez le chanteur, il arrive que des limitations fonctionnelles subtiles peuvent tout de même motiver une chirurgie, parce qu'elles peuvent par trop restreindre les possibilités du chanteur. Il peut s'agir, par exemple, d'un petit polype vocal qui interfère avec le fausset ou avec une partie du spectre vocal.

Même si les risques de complication sont très faibles, le résultat final est en étroite relation avec la guérison post-opératoire. L'excision d'une lésion superficielle est généralement assortie d'une guérison rapide avec une cicatrisation minime. L'excision d'une lésion plus extensive, comme un polype ou un kyste volumineux, exige plus de temps de guérison et les risques de séquelles de cicatrisation sont plus élevés. Le chirurgien saura évaluer ces risques selon les observations stroboscopiques.

Il est impossible de garantir une guérison sans cicatrisation. La chirurgie a pour objectif de préserver l'onde muqueuse et le contour de la corde vocale tout en minimisant l'étendue de la cicatrice. De petites cicatrices uniquement détectables à la stroboscopie sont parfaitement compatibles avec une voix fonctionnelle.

Le succès de la chirurgie est aussi en relation avec l'adhésion du patient aux consignes de repos vocal post-opératoire et d'hygiène de la voix. Selon le cas, le chirurgien jugera de l'utilité de compléter le traitement par des antibiotiques, des antiacides ou des corticostéroïdes.

PLANCHES EN COULEURS

COULEURS

L ES PHOTOS DE CORDES VOCALES PRÉSENTÉES CI-APRÈS SONT TIRÉES DE BECKER, W. ED. *Atlas of Ear, Nose and Throat and Bronchœsophagology*, W. B. Saunders, Philadelphie, éd. 1969 et 1984, et reproduites avec la permission de Georg Thieme Verlag, Stuttgart.

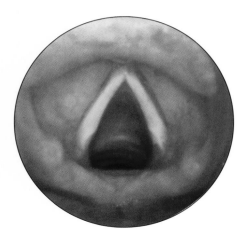

Figure 3.8 a) Inspiration

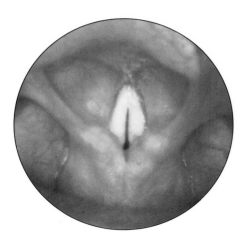

Figure 3.8 c) Phonation

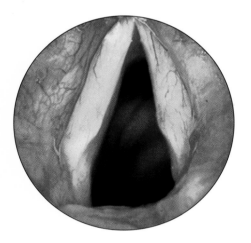

Figure 8.1 a) Cordes vocales saines

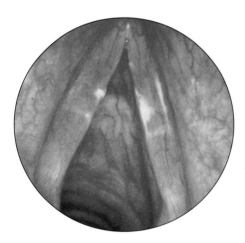

Figure 8.1 b) Laryngite aiguë

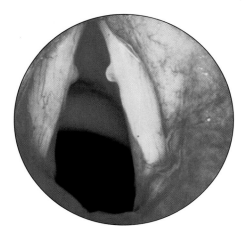

Figure 8.2 Nodules sur chacune des cordes vocales

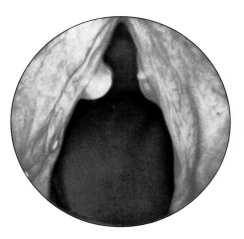

Figure 8.3 Nodule fibreux à gauche et hémorragique à droite

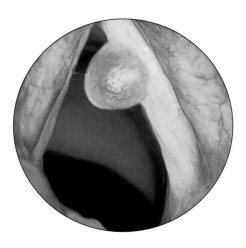

Figure 8.4 Polype de la corde vocale droite

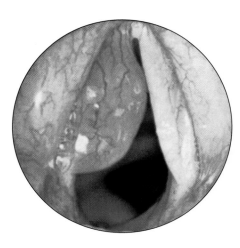

Figure 8.5 Dégénérescence polypoïde avec œdème de Reinke causée par le tabagisme

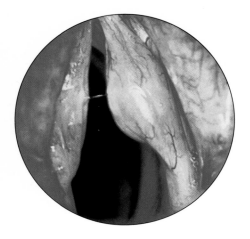

Figure 8.6 Kyste de la corde vocale droite

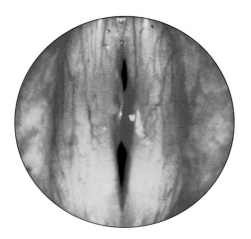

Figure 8.7 Nodules hémorragiques des cordes vocales

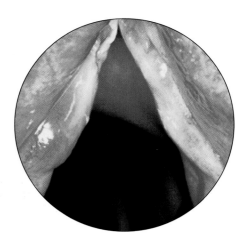

Figure 8.8 Leucoplasie des deux cordes vocales (cancer)

CHAPITRE 9

QUELLES RÈGLES DE VIE ADOPTER?

VIE ADOPTER?

L E CHANTEUR EST, À SA MANIÈRE, UN ATHLÈTE. IL DOIT JOUIR d'un grand bien-être physique et mental pour pouvoir soutenir des performances optimales. Contrairement au monde du sport professionnel où l'athlète bénéficie de conseils d'entraîneurs, de physiothérapeutes, de nutritionnistes et de tout un entourage de professionnels, le chanteur est malheureusement souvent laissé à ses propres moyens pour mener sa vie personnelle et professionnelle. C'est pourquoi il importe d'offrir aux chanteurs, qu'ils soient débutants ou professionnels, les lignes directrices qu'ils devraient respecter non seulement pour bien chanter lorsqu'ils sont en scène, mais pour avoir une carrière durable. En effet, quoi de mieux pour clore ce livre, qu'un guide de vie du chanteur qui tient compte de sa nature d'artiste, de sa nécessaire autonomie, des embûches du métier et de la fragilité de son instrument vocal.

SE DONNER UNE VIE SAINE ET ÉQUILIBRÉE

L'engagement dans la profession de chanteur exige une vie saine et une autodiscipline. Une identification précoce à la profession constitue un facteur déterminant de cet engagement. On reconnaît d'ailleurs les premiers signes du professionnalisme chez le jeune chanteur au fait qu'il sait bien équilibrer le travail, sa vie personnelle et le repos. Il se renseigne sur le fonctionnement de son organe vocal et les facteurs qui l'influencent. Il s'intéresse à son bien-être physique et mental, sachant que son instrument vocal lui est donné pour exprimer son âme et partager sa passion.

« J'ai choisi de vivre une vie philosophique, spirituelle, humaine et artistique parce que je veux qu'elle soit consciente. Le fait de toujours avoir près de moi des personnes avec qui je redeviens normale m'aide à maintenir mon équilibre, mon humilité, et à rester en contact avec les vraies choses. »

Lulu Hughes

L'engagement d'un artiste envers son art est renforcé par le succès, la popularité, la réputation et la reconnaissance de ses pairs. Mais ses vraies motivations sont intrinsèques : la pulsion créatrice, la relation d'amour avec son public, la recherche de l'état d'être propre à l'inspiration. Le chanteur qui prend charge de sa carrière se réserve donc des moments de réflexion et d'intériorisation, des temps privilégiés pour devenir le créateur qu'il est. Il recherche l'approche qui l'aide le mieux à libérer sa voix afin d'approfondir sa communication avec son public.

Au plan de la prestation, son respect pour lui-même l'incite à respecter ses limites vocales. Il évite donc d'entreprendre un répertoire hors de son étendue vocale, quelles que soient les pressions exercées sur lui quant à la virtuosité attendue. Sa voix ne doit pas non plus devenir victime de demandes d'utilisation incessantes.

Le jeune chanteur en début de carrière vit des moments intenses. Son emploi du temps lui permet généralement peu de repos et de temps pour lui-même. Il y a les répétitions, les mises en scènes, les spectacles, les déplacements fréquents, ainsi que les relations publiques et médiatiques. Plusieurs activités sont particulièrement exigeantes pour sa voix parlée et viennent saper l'énergie de sa voix chantée. Les troubles de la voix, tels les nodules, surviennent souvent aux moments les plus inopportuns, alors que le jeune chanteur est encore à développer sa voix.

Il importe donc au chanteur de respecter les normes de

conduite qui assureront le bon fonctionnement de sa voix dans un corps sain. Ces comportements sains et équilibrés concernent l'alimentation, l'exercice, le sommeil, l'emploi du temps, le tabagisme, le bruit ambiant et l'attitude de dépassement qui permet d'accepter les sacrifices tout en restant équilibré.

MANGER CE QU'IL FAUT

Pour obtenir le niveau d'énergie nécessaire à la performance vocale, il est primordial d'adopter une alimentation saine. En général, il suffit de respecter le guide alimentaire officiel du pays dans lequel on habite et qui correspond à des normes soumises à l'épreuve du temps et du nombre. Il faut se garder des diètes à la mode qui promettent des résultats rapides : elles les génèrent parfois, mais ces résultats sont difficiles à soutenir à long terme.

Réduire son poids est une préoccupation fréquente, tout particulièrement chez les jeunes chanteuses, mais aussi, et de plus en plus, chez les chanteurs.

« Je prends bien soin de ma santé. J'évite les discothèques et autres endroits enfumés. Bouger, c'est très important pour la voix ; alors je fais un peu de gymnastique, du ski de fond, de la marche. Je surveille aussi mon alimentation et je bois beaucoup d'eau. »

Nanette Workman

Malgré les données connues et désormais répandues sur les méfaits et même les dangers d'un corps émacié, cette image du corps féminin reste socialement valorisée.

L'expérience démontre que les chanteurs peu en forme à cause d'un excès de poids doivent le perdre pour pouvoir faire leurs exercices sans danger et conserver un bon soutien. Pour ceux qui sont aux prises avec l'embonpoint, on recommande le recours aux conseils d'un nutritionniste clinique.

Mais l'inverse est aussi vrai. Trop de jeunes manquent carrément de force parce qu'ils sont beaucoup trop maigres, quand ils ne sont pas anorexiques. Pour les chanteurs, il est pire d'être trop maigres que trop lourds. Non seulement il n'y a pas de soutien possible, mais ils présentent à coup sûr des carences

importantes. Il n'y a donc pas de carrière en chant possible pour les anorexiques.

Ce qu'il importe de savoir, c'est qu'il est non seulement possible d'avoir un corps svelte grâce à un programme d'exercices physiques et une alimentation saine, mais indispensable pour la voix d'y arriver grâce à un équilibre entre l'apport calorique et la dépense énergétique. Cet équilibre libère le corps pour donner une prestation optimale, alors que la restriction alimentaire produit un corps malingre dépourvu de masse musculaire et incapable de soutenir la performance athlétique du chanteur.

MANGER COMME IL FAUT

Le reflux gastro-œsophagien et ses conséquences sur la voix sont des conditions évitables moyennant le réaménagement de quelques habitudes. Le reflux survient lorsque l'estomac est trop rempli. Il est donc préférable de prendre plusieurs petits repas par jour que d'omettre un ou deux repas pour ensuite tenter de compenser par un repas copieux.

Il faut allouer le temps nécessaire à la première phase de la digestion, l'évidement de l'estomac. S'étendre dans les trois heures suivant le repas peut aussi occasionner le reflux. L'expectoration matinale des sécrétions de l'arrière-gorge et la perte d'appétit sont des symptômes d'un reflux sournois survenu pendant la nuit.

L'horaire de travail et de représentation du chanteur ne facilite pas toujours une alimentation régulière. Pour ne pas nuire à sa prestation en soirée, l'artiste devrait voir à s'alimenter plutôt en matinée et en fin d'après-midi. On recommande que la collation après le spectacle soit légère et sans gras.

BIEN BOIRE

On recommande au chanteur de boire un minimum de deux litres d'eau par jour, incluant les autres sources d'eau telles que le jus, le lait et les boissons. Les boissons contenant de la caféine comme le café, le thé et les colas, qui ont un effet diurétique, entraînent une perte d'eau dans l'urine. Il faudra donc éviter d'en faire un usage excessif.

Certains chanteurs évitent les produits laitiers sous prétexte qu'ils sont à l'origine de phlegmons dans la gorge. Cette sensation peut être minimisée par l'usage de lait écrémé et sans lactose. Comme les produits laitiers sont une source importante de calcium et de nutriments essentiels, il serait navrant de les bannir d'une diète saine. On peut tout simplement choisir de s'en abstenir dans les heures qui précèdent la performance.

Les boissons gazeuses, y compris l'eau minérale gazéifiée, peuvent provoquer des reflux gastriques. Il est préférable de les éviter.

FAIRE DE L'EXERCICE

Les exigences du chant devraient conduire le chanteur à privilégier l'activité physique. Peu de chanteurs croient avoir l'énergie et le temps nécessaire pour suivre un programme de conditionnement physique intensif. Pourtant, il est souhaitable que le chanteur s'engage dans le maintien d'une bonne condition physique s'il désire accéder à un niveau de performance élevé. Il doit absolument se considérer comme un athlète. D'ailleurs, il pourrait facilement emprunter des programmes d'exercices conçus pour certains sports.

Le chanteur devra choisir un programme de conditionnement physique personnalisé qui s'intègre bien à son horaire. Le plus important critère de sélection d'un programme d'activité physique est donc avant tout la possibilité de le suivre quotidiennement, en tout temps et en tout lieu, même en période de conception, d'enregistrement ou de tournée. Une routine vraiment adaptée au chanteur ne l'épuise pas et s'exécute en une heure, au minimum trois à quatre fois par semaine.

Les exercices à privilégier sont ceux qui développent la posture, l'équilibre, la flexibilité et la capacité respiratoire (voir le chapitre 6). Les exercices qui modèlent et oxygènent les tissus tels que le cyclisme, la course et la natation sont excellents. La natation est un choix particulièrement intéressant, car elle développe les muscles respiratoires et abdominaux si indispensables au soutien de la voix.

Cependant, il faut éviter d'entreprendre des exercices de musculation et d'haltérophilie

« Le fait d'être à la fois musicienne et chanteuse m'oblige à une plus grande discipline. Je me sens désavantagée par rapport à mon groupe de musiciens : quand ils partent s'amuser, il me faut encore plus de force pour rentrer me coucher. Un musicien qui manque de sommeil peut encore jouer ; un chanteur ne peut se le permettre, car le manque de sommeil paraît dans la voix. Il m'est arrivé de « performer » alors que j'étais handicapée par mon manque de forme physique. C'est terrible, parce que je ne ressens plus en moi le plaisir de le faire. Je pourrais faire semblant puisque les spectateurs ne s'en rendent pas toujours compte, mais c'est moi qui écope, qui devient angoissée et qui a moins de plaisir. »

Ariane Moffatt

« Le sommeil est une chose importante pour un chanteur. Il faut dormir beaucoup et être bien reposé pour donner sa pleine mesure. »

Marie Michèle Desrosiers

sans les conseils d'un expert qui voit à l'équilibre de l'ensemble. L'hypertrophie sélective de certains groupes de muscles entraîne un déséquilibre postural et crée des sites de tensions musculaires qui peuvent être nuisibles au chanteur.

La levée de poids fait tout particulièrement problème à cause de la fermeture glottique serrée qu'elle exige pour retenir le souffle.

BIEN DORMIR

Le repos doit inclure le sommeil. Seul le sommeil permet aux cordes vocales un repos complet de la vibration. La durée du sommeil varie d'un individu à un autre, mais une moyenne de 7 à 8 heures par jour est généralement nécessaire chez l'adulte. Certains individus sont capables de fonctionner avec moins d'heures de sommeil — le cas de Gregory

> « J'ai fini par apprivoiser ces longues plongées solitaires dans le silence comme autant de moments priviliégiés pour me retrouver. Elles sont devenues mes amies, mes alliées. Je vis alors dans un pays à part, je suis invisible aux autres, mais présente à l'intérieur, et c'est ainsi que, peu à peu, j'ai commencé à entendre en moi des mélodies. J'écrirai peut-être ces chansons un jour. »
>
> *Céline Dion*

Charles et de Normand Brathwaite sont bien connus —, mais ils ont tendance à rattraper ce manque de sommeil lors d'une sieste en mi-journée. Les écarts occasionnels aux heures de sommeil optimales ou les insomnies passagères sont récupérables, mais le manque de sommeil prolongé entraîne forcément une perte d'énergie qui se reflète aussitôt dans la voix. En présence d'une insomnie persistante, le chanteur devrait consulter un médecin.

Quand le sommeil est insuffisant, il est possible pour le chanteur de compenser en reposant sa voix par des périodes de silence. Certains chanteurs font des cures de repos vocal en gardant le silence pendant quelques jours. Il n'est pas facile de soutenir de longues périodes de silence sans avoir préalablement planifié des modes de communication de remplacement. Il faudra éviter de prolonger le silence au-delà d'une semaine à moins que ce ne soit médicalement prescrit, pour éviter que ne s'installe un déconditionnement vocal.

Il faut reconnaître l'usage de la voix parlée comme faisant partie intégrante de toutes les activités de la gorge, du larynx et des cordes vocales. Plusieurs considèrent la voix parlée et la voix chantée comme étant distinctes, alors que les deux font appel au même organe vocal. La surutilisation de la voix parlée est souvent une cause de fatigue vocale importante, au-delà de ce qui serait vécu uniquement par l'usage de la voix chantée.

CONTRÔLER SON EMPLOI DU TEMPS

Le chanteur doit pouvoir conserver un droit de regard sur son agenda. Trop souvent, en chant de variétés, cette responsabilité est déléguée à des gestionnaires (imprésarios, gérants ou agents)

> « J'ai dû consulter un médecin qui a diagnostiqué que j'avais deux nodules aux cordes vocales, résultat d'une inflammation qu'il imputait à un effort récent et prolongé. Il m'a recommandé le silence pendant deux semaines pour éviter l'opération. Je l'ai fait et les nodules ont disparu, sauf pour quelques rougeurs résiduelles. Cet épisode a été l'occasion d'une prise de conscience importante : j'ai commencé à choisir les chansons qui me convenaient, à décider de la tonalité dans laquelle on les jouerait et combien de soirs par semaine je chanterais. »
>
> *Luce Dufault*

qui s'empressent de surcharger l'agenda de l'artiste pour accroître sa visibilité. Il n'est pas rare de voir des horaires de travail qui exigent 12 heures consécutives d'utilisation de la voix sous forme de répétitions, de spectacles et de relations médiatiques ou sociales. Aucun chanteur ne peut soutenir une telle cadence d'utilisation de ses cordes vocales sans éventuellement mettre en péril sa prestation vocale.

L'une des manières les plus efficaces d'équilibrer son agenda est de déterminer d'avance des périodes de repos vocal en les répartissant tout au long de la journée. Il suffira de quelques périodes d'une durée de 15 à 20 minutes pour permettre à la voix de récupérer, à condition toutefois de les situer préférablement après les périodes soutenues d'utilisation. Le chanteur peut profiter de ces courtes périodes de repos vocal pour s'hydrater et relaxer.

Enfin, l'agenda doit prévoir une période adéquate de réchauffement vocal avant chacune des performances et une période de relaxation après.

« Avec moi, c'est tout ou rien ! Quand je fumais, je fumais beaucoup. Quand j'ai cessé de fumer, en 1996, je l'ai fait du jour au lendemain. Ce fut extrêmement difficile, car je chantais alors dans *Starmania* tous les jours de la semaine, sans remplaçante, et ce pendant 500 représentations. Je ne l'ai jamais regretté. »

Luce Dufault

NE PAS FUMER

Pour le chanteur, la seule contre-indication absolue est le tabac. Le tabagisme est dommageable pour la santé et provoque des pathologies irréversibles des cordes vocales (revoir les planches en couleurs, figure 8.5). Il devrait être interdit de fumer à tous les chanteurs. Comme le tabagisme favorise le développement d'une voix plus grave, ce qui est prisé dans certains milieux, les chanteurs sont parfois tentés de continuer de fumer pour des raisons d'image ou d'adaptation à un répertoire. Il faut résister à la tentation face aux conséquences graves à long terme et, même à court terme, puisque fumer occasionne souvent une toux sèche et embarrassante qui rend la voix difficile à contrôler et augmente le stress de la prestation.

Ce qui est certain, c'est que le tabagisme n'assure pas la longévité d'une carrière. La perte éventuelle de sa capacité respiratoire et de son efficience phonatoire devrait être considérée par le chanteur comme un trop grand prix à payer.

Dans le milieu du spectacle, on croit généralement que la marijuana est moins dommageable que le tabac mais, selon Dr Erkki Bianco, un laryngologue qui a travaillé avec les chanteurs de l'opéra de Paris pendant 18 ans, des études récentes tendraient à démontrer le contraire. En effet, l'irritation des cordes vocales serait augmentée par les bouffées plus longues et surtout plus chaudes, ainsi que par les petites particules crépitantes qui s'échappent souvent du « joint » et qui brûlent la muqueuse des cordes vocales.

« Depuis l'avènement des oreillettes, je force beaucoup moins ma voix car, avec ces appareils, je peux entendre toutes mes subtilités, mes changements de tons et de notes. Toutefois, l'utilisation de cette technique peut causer certains problèmes : si les moniteurs ne sont pas bien calibrés, le son devient parfois tellement intense et confus qu'on entend trop les instruments et on perd la note, ce qui peut blesser l'oreille. Pour y remédier, on peut placer sur scène des moniteurs retour de scène, mais ils coûtent cher et ne sont pas toujours disponibles. Ces moniteurs me permettent d'entendre à la perfection ce que produit ma voix grâce à l'oreillette tout en entendant ce qui se passe sur scène et les réactions des gens dans la foule. »

Lulu Hughes

BRUIT AMBIANT

Le chanteur verra à protéger ses cordes vocales en exigeant que les environnements dans lesquels il doit parler soient peu bruyants et exempts de fumée. Il évitera ainsi de forcer sa voix inutilement. Beaucoup de personnes se plaignent de maux de gorge après avoir passé une soirée dans un endroit bruyant ; de plus, ces endroits sont souvent peu éclairés, ce qui ne permet pas de lire sur les lèvres de ses interlocuteurs. Dans ces cas, on a tous le réflexe d'augmenter et la force et la hauteur de la voix. Résultat ? La voix du lendemain est complètement fatiguée. Pour le chanteur, le risque est plus grand car, s'il chante sans repos ni réchauffement, il peut endommager définitivement ses cordes vocales.

Le chanteur verra aussi à toujours participer au calibrage du son sur scène afin d'être parfaitement à l'aise et de ne pas forcer sa voix. Avec les systèmes d'amplification et l'utilisation de microphones, le son projeté aux spectateurs est différent du son perçu par le chanteur. Il faut donc s'assurer à la fois que le spectateur entend bien ce que le chanteur souhaite qu'il entende, et que le chanteur perçoive bien sa propre voix et non une voix dénaturée par la réverbération de la salle ou du système de son. Le chanteur devrait aussi exiger que le calibrage du son ne soit pas modifié en cours de spectacle ; il ne faut pas confondre qualité sonore et intensité sonore.

SAVOIR SE DÉPASSER

Maintenir une autonomie dans l'utilisation de son outil vocal, son agenda et sa vie fait partie d'une discipline personnelle. La discipline peut exiger plusieurs sacrifices dans la vie familiale et sociale. L'artiste engagé saura les considérer non pas comme des contraintes ou des limitations, mais comme les conditions indispensables d'un bien-être et d'une libération de son appareil vocal. En ce sens, le chanteur est souvent appelé à dépasser les contingences de la vie, à se dépasser, ce qui est extrêmement exigeant.

Il n'est pas inhabituel que le chanteur, malgré les meilleures intentions, perde son chemin à quelques occasions. Le mauvais choix de répertoire, les séquelles d'une prestation moins réussie, le vécu d'un choc émotif sont autant de contretemps dans une carrière, mais ce ne sont que des contretemps. Dans ces situations, le support de la famille et des amis constitue un refuge important. Le chanteur en ressort quelquefois plus résilient et même inspiré. Par ailleurs, si ces événements nuisent à sa performance, le recours à un psychologue peut faciliter la recherche d'une nouvelle perspective.

« C'est rare que les spectateurs viennent à nous et qu'on peut avoir une certaine stabilité dans la routine quotidienne. À Las Vegas, je vis en quelque sorte les conditions du chanteur d'opéra. Ma voix est parfaitement adaptée au rôle et le rôle à moi. En plus, j'ai la chance que l'air ambiant de la salle de spectacle rencontre mes exigences d'humidité (55 %), et je voyage moins. C'est donc moins difficile physiquement, mais c'est quand même beaucoup de pression et je souffre toujours d'être éloignée des gens, des lieux et des saisons que j'aime et qui me font du bien. Tout ça demande de la force en dedans, c'est une autre sorte de discipline, et tous les chanteurs doivent y faire face. »

Céline Dion

ÉVOLUER AVEC LA VIE

Le corps humain subit des changements physiologiques tout au long de la vie, et ces changements affectent forcément la voix. Le chanteur professionnel verra donc à ne jamais tenir sa voix pour acquis. Il doit se faire à l'idée que son travail vocal ne sera jamais terminé une fois pour toutes. Il devra continuellement retravailler, exercer et ajuster sa voix pour pouvoir s'adapter aux circonstances de la vie.

La jeune voix subira d'abord la mue, plus importante chez les garçons que les filles, mais les chanteuses vivront pour leur part les nombreuses fluctuations hormonales du cycle menstruel, de la grossesse et de la ménopause. La vieillesse apportera aussi son lot de restrictions physiologiques, tant pour le chanteur que la chanteuse, mais d'autres conditions, comme les allergies, risquent d'affecter considérablement un nombre grandissant de chanteurs dans certaines périodes de l'année ou de la vie.

MUE

Des tout premiers moments de la vie jusqu'à l'adolescence, la voix est déterminée génétiquement, mais elle subit aussi diverses influences qui la marqueront plus ou moins directement. La première est sans contredit celle de la voix de la personne qui s'occupe de l'enfant, généralement la mère. Les sons et les tonalités les plus souvent entendus et perçus sont déterminants pour le développement vocal, même si chaque personne finit par développer une personnalité vocale propre. Cependant, dès l'arrivée de la puberté, un ensemble de modifications physiologiques dans les muscles, les ligaments, les cordes vocales et la taille du larynx conduisent au phénomène de la mue. L'agrandissement général de tout le conduit vocal entraîne une augmentation

« Pour moi, chanter est à l'image de la vie, ou à l'image des événements d'une journée, d'une année. Il y a des temps doux, des temps forts, du vent, du soleil, de la pluie. Je veux pouvoir traduire toutes ces nuances avec ma voix. Quand j'étais jeune, mon modèle de voix était Paul McCartney. Je l'écoutais chanter et j'étais fascinée par sa capacité à pousser un *Oh darling* bien rauque pour ensuite enchaîner avec une voix mélodieuse. J'ai travaillé en fonction d'arriver à ce résultat, car je tenais à maîtriser cette technique. »

Laurence Jalbert

importante des cavités de résonance. On assiste alors au passage de la voix d'enfant à la voix adulte, passage souvent caractérisé par l'émission de couacs ; c'est le cauchemar des jeunes étudiants en chant. Ce passage correspond au développement physique de chaque enfant : il ne se fait donc pas toujours au même âge et, chez certains, il tarde même à venir.

Est-il utile ou nocif de chanter pendant la mue ? Il n'y a pas de réponse valable pour tous les chanteurs. Le professeur doit analyser chaque cas séparément, surtout chez les garçons, avant de recommander un arrêt des cours. À l'expérience, il est effectivement possible pour la plupart des garçons de continuer à chanter à condition de le faire avec une technique adaptée aux circonstances et un suivi adéquat. Chez les filles, la mue commence plus subtilement et de façon un peu plus précoce, en général dès l'apparition des premières menstruations. La voix baissera aussi, mais légèrement, puisque l'augmentation du conduit vocal et des cavités de résonance est souvent deux fois moindre que celle des garçons.

HORMONES ET MÉNOPAUSE

L'arrivée des règles et surtout la prise de contraceptifs chimiques ou d'autres thérapies hormonales, qu'elles soient d'origine naturelle ou chimique, ont un impact sur l'ensemble du système de phonation. Il y aura donc nécessairement des conséquences audibles sur la voix. Au-delà des risques de fatigue générale et des autres symptômes associés aux menstruations, tels les gonflements et les douleurs abdominales, on note parfois une fragilité vocale. La prudence est de mise : devant une gêne vocale qui semble s'installer pour de bon, une consultation médicale s'impose.

Par ailleurs, il est non seulement correct mais recommandé de chanter pendant la grossesse, car le chant stimule le système circulatoire et oxygène l'ensemble du système reproducteur tout en permettant l'expression d'un bien-être et d'un sentiment de plénitude. Après être remise de la grossesse et de l'accouchement et, s'il y a lieu, une fois le périnée cicatrisé, la chanteuse doit voir à refaire sa musculature avec des exercices appropriés. Étant donné les grandes différences individuelles à ce niveau, on ne peut prescrire une durée d'entraînement précise ; en général, on recommande que la chanteuse recommence à chanter, sans crainte, dès qu'elle se sent assez forte.

La ménopause entraîne parfois des modifications vocales, particulièrement dans les aiguës, mais il n'est pas rare de constater aussi une perte d'harmoniques dans les graves. L'assèchement des muqueuses, caractéristique de la ménopause, crée forcément des difficultés dans les longues phrases. Une fois la ménopause totalement installée, on note souvent une baisse de la tonalité de la voix comme si une nouvelle mue prenait place.

« J'ai vécu une grossesse alors que je chantais dans la comédie musicale *Starmania*, ce qui m'a permis de constater des différences notables dans ma voix. J'avais une voix plus chaude, plus large, j'avais plus de soutien. Puis il y a eu l'accouchement, l'arrêt de mes activités et les berceuses. À la première représentation qui a suivi, à l'occasion du lancement de mon disque, je n'avais plus la maîtrise de ma voix, je ne sentais plus le soutien dans mon ventre. J'ai aussitôt demandé de l'aide à mon professeur de chant. Il m'a fallu deux mois de travail, à raison de deux à trois cours par semaine, pour que mon soutien abdominal redevienne optimal. Par ailleurs, j'avais l'impression d'avoir la couleur vocale d'un début de crise d'asthme, une forme de chaleur, sans malaise, que je trouvais belle et beaucoup plus ronde. J'avais par contre un peu moins de souffle. »

Luce Dufault

VIEILLISSEMENT

Qu'advient-il de la voix quand on avance en âge ? Chez les personnes de plus de 40 ans, les cartilages du larynx commencent à se calcifier. On assiste aussi à une perte graduelle de l'élasticité ligamentaire ainsi qu'à d'autres phénomènes qui s'amplifient avec les années. Chacun sait que l'audition baisse avec l'âge, mais ce qu'on sait moins, c'est que cela altère passablement la relation entre l'ouïe et la phonation, donc la voix, de manière irréversible. Le chanteur verra à ne pas compenser par des environnements sonores de plus en plus forts afin de mieux mesurer ses pertes et effectuer le travail vocal approprié.

Toutefois, la capacité vocale peut rester beaucoup plus longtemps intacte si, comme l'athlète, le chanteur persévère à entraîner sa voix chaque jour. Cela n'est possible que si le chanteur évite d'assaillir ses cordes vocales avec de la fumée de tabac ou des médicaments contribuant à l'assèchement de ses muqueuses. De même, la résistance aux températures extrêmes diminue avec l'âge ; le chanteur veillera donc à éviter les chauffages excessifs ou l'air climatisé. L'air climatisé est tout particulièrement nocif pour l'appareil vocal, car il est d'abord déshumidifié, ce qui provoque souvent des obstructions nasales.

ALLERGIES

La pollution sous toutes ses formes est responsable de l'augmentation rapide des allergies depuis une décennie ; on ne prévoit pas de diminution à l'horizon. Il y a donc de plus en plus de chanteurs aux prises avec des allergies ; ils ont le nez

> « Le choix des gens avec qui on apprend est très important. Par exemple, un animateur bien connu des téléspectateurs m'a confié sa fille pour que je lui apprenne à prendre sa place et à dire non quand il le faut, car il y a des conséquences énormes à ne pas le faire, mais tout autant à le faire. Il ne faut pas écouter la vedette en soi, mais choisir l'artiste ; il faut choisir d'être intègre et honnête. »
>
> *Lulu Hughes*

qui coule, les yeux qui piquent, et ils éternuent constamment. Pour atténuer ces symptômes, ils prennent souvent des antihistaminiques à l'excès, surtout en saison fortement allergène. Il est indispensable que le chanteur consulte son laryngologue et s'assure d'un traitement adéquat, que ce soit un traitement à long terme pour réduire la sensibilité allergique ou pour soulager des symptômes saisonniers.

Surtout en présence d'asthme, il est très important que les symptômes soient correctement traités pour pouvoir continuer à chanter. Évidemment, on ne peut que recommander au chanteur de s'aider lui-même en évitant les conditions aggravantes que sont les environnements enfumés, surchauffés ou trop froids.

SAVOIR S'ENTOURER

Le message le plus important que l'on puisse donner au jeune chanteur qui se lance dans la carrière est sans doute celui de bien s'entourer. L'hypersensibilité qui caractérise l'artiste le rend souvent plus sensible aux événements, auquel cas, il a besoin de gens de confiance pour le soutenir au quotidien. Il est aussi plus centré sur son art et il doit pouvoir confier l'administration de ses affaires à des gens sûrs. Enfin, il aura à fournir des efforts importants ; aussi doit-il confier sa santé physique et vocale à une équipe qui travaille en concertation dans l'intérêt de sa santé vocale.

C'est ainsi que, tout au long de son cheminement, le chanteur devra s'entourer de professionnels, soit pour la protection de ses droits d'auteur, soit pour améliorer sa diction, soit pour son perfectionnement vocal, soit pour sa santé, soit pour ses affaires. En fait, il devrait choisir son gérant, son agent, son éditeur de musique, son orthophoniste, son laryngologue et son professeur de chant avec autant de sérieux qu'il choisit ses musiciens.

Le Pr William Riley, entraîneur vocal de Luciano Pavarotti, Andrea Bocelli, Bill Clinton et Faith Hill, croit que l'entourage du chanteur devrait aussi comprendre un massothérapeute. Surtout, insiste-t-il, le professeur de chant doit connaître la pédagogie, l'anatomie et la physiologie de l'exercice physique, tout comme le laryngologue, l'orthophoniste et le massothérapeute doivent avoir une spécialité en chant professionnel. Lui-même s'inscrit dans l'équipe permanente de Céline Dion, où il travaille en synergie avec la D^{re} Gwen Korovin. Il nous a affirmé que, si Céline est devenue l'artiste le plus digne de confiance qu'il ait jamais rencontré, l'artiste sur lequel on peut le plus compter pour la constance dans la qualité de la prestation (*the most reliable artist I know*), c'est grâce aux professionnels qui l'entourent et à sa volonté inébranlable de respecter leurs directives en tous points, quels que soient les efforts exigés.

Quoi qu'il en soit, le chanteur étant un travailleur autonome et un entrepreneur, il est toujours de sa responsabilité d'évaluer si les professionnels qu'il consulte lui conviennent ou non et de prendre les mesures nécessaires pour les remplacer s'il le faut ; c'est une fonction qu'il ne devrait pas déléguer.

Voici quelques critères qui devraient le guider dans sa prise de décision concernant la gestion de ses affaires, mais aussi et surtout dans le choix de son laryngologue et de son professeur de chant, les deux personnes les plus importantes pour sa santé vocale.

GÉRANT ET PRODUCTEUR

Le chanteur n'a pas le choix. Pour faire carrière, il va obligatoirement côtoyer des réalisateurs ou des producteurs qui le soutiendront dans la production de ses albums : choix du matériel, arrangements, orchestration, direction de studio, choix et direction des musiciens et des techniciens. S'il est auteur-compositeur interprète, il devra s'adjoindre un spécialiste du droit d'auteur pour la protection et la cession de ses droits. Et si ses engagements se multiplient, il devra bientôt en confier la réservation (*booking*) et l'organisation.

Pendant longtemps, il a été possible de s'improviser agent ou gérant sans avoir de formation ou d'expérience de gestion, sans connaître les règles du droit d'auteur, sans même avoir d'expérience musicale. On a vu aussi des musiciens se convertir en producteurs avec plus ou moins de bonheur. Mais la complexité grandissante de ces fonctions a graduellement attiré à la profession des gens alliant des expériences artistiques, administratives et juridiques. L'industrie comprend maintenant un nombre grandissant de personnes et de groupes spécialisés et compétents dans la gestion d'artistes, l'édition de musique et la production de disques.

Même si l'industrie s'est structurée, trop d'artistes, et parmi les plus connus, sont imprudents et trop expéditifs lorsque vient le temps de choisir ceux à qui ils confient leur carrière et leurs rêves. On ne compte plus le nombre d'expériences malheureuses, de gens malhonnêtes ou irrespectueux, de droits bafoués, de redevances impayées, de déceptions et de

> « Il est difficile de dire d'où je tire les idées pour mes textes, car l'inspiration, c'est partout et nulle part à la fois ; c'est complexe à cerner. Je cherche une « *vibe* », une atmosphère, c'est mon point de départ. Au début, c'est relativement abstrait, il faut écouter, il faut trouver quel genre d'histoire convient à quelle atmosphère musicale. Quant aux mots, ils coulent d'eux-mêmes, ça ne se rationalise pas ! »

> *Ariane Moffatt*

« Au plan vocal, les conditions de travail dans les comédies musicales sont relativement meilleures que celles des bars, mais ce n'est tout de même pas de tout repos. Pendant deux heures, on chante, on danse, on saute, et ce, plusieurs fois par semaine. Et ce qui devait arriver arriva : je me suis aussi blessé à nouveau en l'an 2000. Tous les médecins que j'ai consultés ont posé le même diagnostic : mon rythme de vie effréné était le grand coupable. Mes déplacements constants, la succession de décalages horaires, les tournées promotionnelles et de spectacles, et pour Notre-Dame de Paris et en soliste avaient eu raison de mes cordes vocales. J'ai eu la chance que mon médecin, le Dr Pierre Larose, ne veuille opérer qu'en ultime recours et me propose d'autres types de réhabilitation. Tout de même, ce fut une autre année de repos complet, de techniques d'orthophonie et de cours de chant. »

Bruno Pelletier

pertes financières. Le message qu'il nous importe ici de transmettre au jeune chanteur est le suivant : il est possible de minimiser les risques de faux pas.

Souvent, les artistes s'imaginent qu'ils vont être en mesure de contrôler eux-mêmes tous les aspects de leur carrière. Or la cession de droits est un monde en soi, tout comme l'organisation de tournées et la production d'albums.

L'auteur-compositeur interprète peut toujours consulter un éditeur de musique indépendant qui lui conseillera le meilleur producteur pour son matériel. Mais sur quels critères s'appuiera l'interprète dans le choix de son producteur ?

Il devra d'abord se défaire d'une première idée préconçue. Notamment en production, et surtout s'il est lui-même musicien, le chanteur se croit souvent assez clairvoyant et compétent pour assurer la supervision de son œuvre. En conséquence, il néglige de vérifier les qualités de son producteur, sa compatibilité avec son matériel ou ne lui accorde tout simplement

pas d'importance. Mais dans les faits, surtout dans la production d'un premier album, le chanteur sans expérience n'est absolument pas en mesure de contrôler sa production. Son travail de chanteur mobilise alors toute son attention et, s'il est de surcroît le concepteur du texte ou de la musique, il sera d'autant plus débordé que les coûts de location du studio d'enregistrement le limiteront dans le temps.

Autre idée préconçue : le chanteur confie plus volontiers sa carrière à des gens issus du milieu artistique, croyant que les abuseurs viennent plutôt du monde des affaires. C'est faux. Même quand tout semble réuni pour la réussite d'un projet, il faut rester vigilant. Il est donc essentiel de choisir une personne de confiance, tant par ses capacités, son expérience que par son honnêteté et sa capacité à respecter son style. Le meilleur conseil qu'on puisse offrir au jeune chanteur est le suivant : quelle que soit la personne qu'il souhaite s'adjoindre, il ne doit pas essayer d'abord de se faire accepter par elle, mais plutôt vérifier si elle est acceptable pour lui en regard de ses objectifs, de ses projets, de son emploi du temps et de ses ressources. S'il y a des affinités sur ces questions, il y aura sans doute des affinités sur le plan artistique.

Son pire ennemi, c'est son désir de réussir rapidement, son besoin d'accéder au vedettariat. Ce besoin de visibilité est souvent ce qui l'entraîne à troquer ses exigences artistiques contre les bénéfices qu'on lui fait miroiter, et à baisser la garde.

LARYNGOLOGUE

Trop souvent, le chanteur consulte le laryngologue au moment où un problème vient d'être décelé, habituellement par son professeur de chant. Pourtant, on ne saurait assez recommander à tout chanteur de consulter son spécialiste alors qu'il n'a pas de désordre physique et que sa voix est en pleine forme.

Il est inutile de reporter une consultation à plus tard sous prétexte que le problème médical n'apparaît pas suffisamment grave pour commander une telle consultation. Les laryngologues spécialisés dans la voix professionnelle sont habituellement sensibles au fait que même une toute petite inflammation ou irritation peut être dramatique pour un chanteur et dégénérer rapidement si rien n'est fait. Une deuxième raison milite en faveur d'une consultation dès les premiers signes d'inconfort vocal : si le problème est d'origine systémique, par exemple une irritation reliée à des exercices vocaux mal adaptés, il est vraiment inutile et même risqué d'attendre, car certaines conditions peuvent être longues à corriger. Par ailleurs, seul le laryngologue entraîné au diagnostic de chanteurs pourra identifier ce genre de cause et y remédier de manière appropriée en accord avec le professeur.

« Pour connaître d'une manière plus directe les problèmes des chanteurs, je pris mon bâton de pèlerin, et je fis le tour des professeurs de chant de Paris. J'entrai en contact avec une faune invraisemblable ou l'incompétence la plus absolue et le charlatanisme le plus impudent se donnait libre cours... Tout le monde et n'importe qui peut mettre sur sa porte un écriteau : leçon de chant. J'ai rencontré des professeurs de chant qui ne savaient pas chanter ! J'en ai vu d'autres qui racontaient à leurs élèves des choses tout à fait délirantes, profitant de la crédulité des apprentis chanteurs qui ont généralement une fixation infantile sur leur maître. Certains de ces professeurs étaient de bonne foi, mais cela ne les empêchaient pas de débiter des bourdes énormes sur le chant, faute de savoir exactement de quoi ils parlaient ! En général, ils essayaient de s'expliquer, comme ils le pouvaient, des sensations internes que le sujet pourrait éprouver pour émettre correctement telle ou telle note. Ils tentaient ainsi de mettre en image et en parole leurs propres sensations, oubliant que leur subjectivité radicale interdisait qu'elles fussent exactement reproduites d'un individu à l'autre, toutes choses égales d'ailleurs. » Alfred Tomatis, *L'oreille et la vie*, p. 82.

Le professeur qui reçoit un nouvel élève devrait immédiatement recommander un examen préalable, même en présence de santé vocale. En effet, il est toujours plus facile de comparer une voix en difficulté avec le portrait des cordes vocales alors qu'elles étaient saines. Cela facilite le diagnostic de la gravité de la situation et permet un meilleur suivi de l'ensemble des événements qui affectent la gorge. Il existe des laryngologues spécialisés dans la voix professionnelle ; ils ne trouveront pas ridicule une telle consultation.

Après le professeur de chant, le laryngologue est de loin la personne la plus importante de l'entourage d'un chanteur. Si le chanteur désire que les interventions du laryngologue ne se limitent pas à des thérapies médicamenteuses d'urgence, il doit faire en sorte de l'impliquer dans le diagnostic de ses inconforts laryngés, dans l'analyse des causes, le tout de concert avec le professeur de chant. Il ne faut pas perdre de vue que tout inconfort, irritation ou inflammation augmente rapidement l'anxiété entourant une performance ; le suivi médical régulier permet d'éviter ces stress inutiles et nocifs pour la santé vocale. Le chanteur devrait même rechercher un laryngologue entraîné à travailler de concert avec les professeurs de chant. Les avantages sont de taille : le laryngologue peut réagir au programme d'entraînement vocal et s'assurer que les exercices proposés par le professeur sont adaptés à l'appareil vocal ou à la santé générale du chanteur et, inversement, le professeur de chant peut être plus facilement intégré à l'équipe de rééducation vocale quand les cordes vocales sont malades et nécessitent une intervention chirurgicale.

« Il faut avertir les étudiants qu'il n'existe aucun secret dans les aspects techniques du chant. Le professeur pour qui le travail technique du chant est un domaine nimbé de mystère avoue par là, ingénument, son ignorance de la nature physique et acoustique de l'Instrument vocal. À de tels yeux, chanter semble représenter une sorte de processus magique, et la technique de chant devient une structure idiosyncrasique reposant sur l'intuition, le tâtonnement et l'erreur. C'est pourquoi le professeur de technique à tendance mystique répugne tant à donner des informations détaillées sur les aspects fonctionnels du chant. À quoi peuvent bien servir prêtres et prêtresses ? Si le voile du mystère est levé, tout professeur de chant essayant l'exercice de son métier sur un postulat selon lequel il (ou elle) est le (la) seul(e) à détenir une connaissance et une compétence uniques en leur genre et qui ne peuvent se transmettre qu'aux quelques heureux élus faisant partie de leur classe, fait preuve d'un sectarisme et d'une ignorance professionnelles frisant le charlatanisme. Les étudiants en chant doivent se tenir sur leurs gardes vis-à-vis de tels endoctrinements. Les étudiants attirés et retenus dans de telles chapelles pédagogiques devraient se demander pourquoi le monde professionnel est rempli de chanteurs de grand talent qui n'ont pas bénéficié de cette sagesse technique d'un genre particulier. » Richard Miller, *La structure du chant*, p. 230.

PROFESSEUR DE CHANT

Pas un chanteur, débutant ou professionnel, ne doit risquer sa voix, son enthousiasme et ses moyens financiers sur un professeur de chant avec lequel il ne se sent pas complètement à l'aise, autant dans la relation interpersonnelle que dans l'approche technique. Malheureusement, en Europe comme en Amérique, aucune règle ne régit l'enseignement du chant et n'importe qui peut s'improviser professeur de chant. On voit souvent des diplômés en musique qui décident, après avoir accompagné quelques chanteurs, de devenir professeur de chant. Comme ils n'ont pas fait régulièrement de technique vocale, leur voix n'est pas placée ; ils ne peuvent donc pas sérieusement amener un chanteur à se réaliser pleinement. On ne peut pas se fier non plus aux associations professionnelles de professeurs de chant, car elles ne sont généralement pas en mesure de qualifier leurs membres.

Par ailleurs, le professeur peut avoir une formation en chant classique et très bien savoir

« La pédagogie vocale, c'est complexe. C'est aussi de la psychologie. Il faut que le professeur de chant soit capable de comprendre ce qui se passe dans le corps de l'étudiant. Je n'ai jamais fait de chant classique, mais j'ai suivi des cours de chant avec Cécile Jalbert et Lucette Tremblay. Il n'en reste pas moins que de diriger quelqu'un vers un but vocal, en lui enseignant les bonnes techniques, sans qu'il ne se blesse, c'est un art, tout comme le développement de sa propre personnalité vocale est un art. Ainsi, un bon chanteur ne fait pas nécessairement un bon professeur. Personnellement, je travaille par instinct. J'ai développé des techniques qui me conviennent, mes propres techniques de base, mais je n'arrive pas toujours à les expliquer. »

Bruno Pelletier

adapter son enseignement au chant pop. Quoiqu'il appartienne au chanteur de comprendre les objectifs qui sous-tendent l'approche du professeur qu'il choisit, la confiance qu'il accorde peut et doit s'appuyer sur quelques critères objectifs : la compétence du professeur, sa capacité à personnaliser son enseignement et sa capacité à progresser avec son élève, bref à le respecter dans toute sa personne. Une fois qu'il a commencé à suivre ses cours, un critère subjectif unique doit guider son évaluation : « Ai-je du plaisir à chanter et à apprendre à chanter ? » Les efforts à faire

ne sont jamais censés inhiber le plaisir de la réalisation de soi.

Enseigner le chant est un art en soi, et cet art requiert une grande compétence parce que le chant joue profondément sur l'être, la voix et la vie du chanteur. On ne s'improvise pas entraîneur vocal ou professeur sans avoir les connaissances et les aptitudes nécessaires. Au-delà de la technique vocale, il faut une grande intériorité et un don de soi.

Or, l'expérience de la pratique et de l'enseignement du chant ne garantit pas à coup sûr cette compétence. Le chanteur, même vedette, ne se convertit pas nécessairement à l'enseignement avec brio. Les artistes qui ont une longue carrière et qui se mettent au professorat vers l'âge de 40 ou 50 ans ne se souviennent souvent plus des problèmes qu'ils ont connus alors qu'ils étaient jeunes chanteurs, ou bien n'en ont jamais rencontré. Ils n'arrivent pas toujours à s'oublier pour comprendre les débutants et risquent d'exiger d'eux qu'ils soient rapidement excellents sans avoir la patience requise à leur développement harmonieux. Inversement, les professeurs de carrière qui n'ont jamais fait de scène peuvent s'avérer trop théoriques et faire pratiquer des exercices vocaux et des positionnements laryngés incompatibles avec la réalité du travail de scène.

Heureusement, il existe de plus en plus de bons professeurs qui cumulent les deux expertises et qui allient connaissances pédagogiques utiles et expériences de scène valables. C'est ce type de profil que devrait rechercher le chanteur qui envisage une carrière.

Le professeur de chant compétent ne commence pas son enseignement technique sans avoir pris le temps de connaître les motivations profondes de son élève afin d'orienter adéquatement ses interventions. Chaque élève doit être respecté quelles que soient sa personnalité et sa voix. Il faut donc se méfier du professeur qui adopte un modèle unique pour tous ses élèves avec pour résultat qu'il produit des chanteurs sans personnalité et sans âme. De même, quand un professeur, qui enseigne le chant classique et le chant pop, déclare ouvertement ne pas apprécier le chant classique, c'est souvent parce qu'il a tendance à imposer son univers musical plutôt que de s'adapter à celui de ses élèves. Quand un chanteur témoigne d'un inconfort vocal, toute remarque du genre : « Tu vas t'endurcir », « Ce n'est que passager, ça passera », indique une incompétence diagnostique ou un manque d'humilité. Dans les deux cas, cela devrait soulever des inquiétudes, car ces inconforts sont souvent le résultat d'un mauvais classement de la voix, d'une technique imposée ou d'une incapacité à adapter

les exercices vocaux aux capacités de l'élève.

Les parents en quête d'un bon professeur peuvent vérifier cette tendance à l'uniformisation dans la technique ou le répertoire en assistant au spectacle préparé par un professeur avec tous ses élèves. En général, on perçoit aisément quand les jeunes sont plus tendus qu'épanouis, quand leur personnalité est noyée dans l'ensemble au lieu d'être mise en évidence, ou quand les voix sont désagréables au lieu d'être harmonieuses. Si on n'aime pas ce qu'on observe, il faut choisir un autre professeur.

Par ailleurs, choisir un professeur sur la base de son tarif peut être problématique, car il ne semble pas y avoir de corrélation entre le coût et les qualifications. Tous les experts en chant, de Tomatis à Miller, ont un jour ou l'autre déploré pour ne pas dire dénoncé l'incompétence de professeurs, même réputés et coûteux. En Amérique comme en Europe, des professeurs sans qualification et sans expérience prennent en main des jeunes voix qu'ils réussissent à briser en très peu de temps. Ces jeunes élèves, déçus et découragés, sont dans l'obligation de subir des mois de récupération plutôt que de s'amuser à chanter. Les parents doivent à tout prix éviter de confier leur enfant au premier venu à seule fin de le contenter momentanément. Il est préférable de l'inscrire dans une bonne chorale où il développera son oreille et nourrira son ambition de chanter. Il sera toujours temps de chercher un bon professeur quand la mue sera terminée, si l'enfant tient toujours à son projet.

Les plus grands professeurs de chant se reconnaissent au très grand respect qu'ils ont pour leurs élèves. Ils savent corriger les mauvaises habitudes apprises avec d'autres professeurs sans dénigrer ces derniers. Ils savent user de philosophie et de psychologie en toute dignité. Ils savent suivre le rythme de l'élève et l'accompagner dans sa maturation. Le mépris, le dénigrement, le rentre-dedans signalent à coup sûr une attitude incompatible avec une pédagogie centrée sur l'élève. Les

bons professeurs ne comparent pas deux élèves entre eux, n'enveloppent pas leur approche de mystère et ne cherchent pas à établir une relation de gourou à disciple. Par leur respect pour les artistes, ils savent leur donner une confiance inébranlable en leurs possibilités et les encourager à se surpasser.

Pour résumer, le professeur de chant compétent se reconnaît au fait qu'il :

— a une formation en chant, pas seulement en musique, et préférablement une spécialisation universitaire ;

— a atteint une voix chantée adulte ;

— a l'expérience des performances publiques ;

— a une bonne compréhension du chant populaire autant que du chant classique et est aussi à l'aise dans l'enseignement de l'un que de l'autre ;

— personnalise son enseignement à chacun des élèves ;

— respecte la personnalité de la personne et de la voix du chanteur ;

— sait détecter rapidement une perte de notes dans les aiguës ou les basses, un souffle qui passe dans la voix, une fatigue vocale trop rapide, une impression de voix forcée ou tout autre symptôme signalant une difficulté vocale ;

— réfère, quand il le faut, à un médecin spécialisé dans la voix professionnelle pour obtenir un diagnostic précis ou éliminer une cause médicale ;

— travaille de préférence en concertation avec un laryngologue et s'inscrit, le cas échéant, dans une équipe de rééducation vocale ;

— sélectionne les vocalises appropriées pour le réchauffement, le refroidissement, le développement et la rééducation de la voix, ainsi que les exercices physiques de réchauffement et de soutien ;

— accompagne le chanteur tout au long de son évolution, sans craindre de le référer à d'autres professeurs pour des perfectionnements ponctuels basés sur des techniques complémentaires.

BIBLIOGRAPHIE

C ETTE LISTE N'EST PAS EXHAUS-
TIVE, PEU S'EN FAUT, CAR IL
existe près d'une centaine de livres en français publiés depuis
les années 1930 sur le chant.
On y trouve une grande variété
de points de vue sur la voix et la
formation du chanteur, toutefois
ils s'adressent tous à des chanteurs lyriques. Les auteurs qu'on
recommande généralement sont
Guy Cornut, et Richard Miller,
en traduction française.

Sauf pour quelques livres qui
font généralement l'unanimité
et qui n'ont pas été traduits
en français : *Secrets of Singing,*

Born to sing, *Singing for the Stars*, *The Contemporary Singer*, aucun livre n'a été publié dans le monde francophone spécifiquement pour le développement de la voix de variétés.

ALLEN, Jeffrey. *Secrets of Singing*, avec cédérom, Warner Brothers, Miami, 1994, 377 p.

AUCHER, Marie-Louise. *L'homme sonore*, 2e édition, Éditions Hommes et Groupes, Paris, 2004, 92 p.

AUCHER, Marie-Louise. *En corps chanté*, Éditions Hommes et Groupes, 1993, 3e édition, 1997, 135 p.

AUCHER, Marie-Louise. *Les plans d'expression : schéma de psychophonie*, Éditions de l'Épi, Paris, 1977, dernière édition 1983, 148 p.

BARTHÉLÉMY, Yva. *La voix libérée*, Éditions Robert Laffont, Paris, 2003, 348 p.

BONNARDOT, Jacqueline. *Le professeur de chant : un luthier qui construit une voix*, Éditions Henry Lemoine et Éditions Van de Velde, Paris, 117 p.

BUNCH, Meribeth. *Dynamics of the Singing Voice*, seconde édition revue, Springer-Verlag Wien, New York, 1993.

CALAIS-GERMAIN, Blandine. *Anatomie pour le mouvement*, tome 1 : « Introduction à l'analyse de techniques corporelles », Éditions Désiris, 1984, 2e édition, Meolans-Revel, 2001, 301 p.

CALAIS-GERMAIN, Blandine. *Anatomie pour le mouvement*, tome 2 : « Bases d'exercices », Éditions Désiris, Meolans-Revel, 1984, 2e édition, 2001, 301 p.

CALAIS-GERMAIN, Blandine. *Le périnée féminin et l'accouchement : éléments d'anatomie et exercices pratiques d'application*, Éditions Désiris, Meolans-Revel, 1996, 2e édition, 2000, 158 p.

CARDINALE, Marie Jo, et Annie DURIEUX. *Bien dans ma voix, bien dans ma vie*, Éditions Le courrier du Livre, 2004, 321 p.

CHUN-TAO CHENG, Stephen. *Le tao de la voix*, Pocket, 1993, 201 p.

CORNUT, Guy. *La voix*, Que sais-je, n° 627, PUF, Paris, 1983, 125 p.

CORNUT, Guy. *Moyens d'investigation et pédagogie de la voix chantée*, actes du colloque tenu au Conservatoire national de Lyon en février 2001, avec cédérom, Éditions Symétrie, Lyon, 2002, 200 p.

CREATIVITY RESEARCH JOURNAL, Lawrence Erlbaum Associates Publishers, Mahwah, NJ, depuis 1973.

HERMAN, Ellie. *La méthode Pilates*, Marabout, 1997, 332 p.

IYENGAR, B.K.S. *Yoga : The Path to Holistic Health*, Éditions DK, 2001, 416 p.

MATHA, Louise, et Dʳ G. DE PARREL. *Éducation et rééducation de la voix chantée*, G. Doin et Alphonse Leduc éditeurs, Paris, 1932, 234 p.

MADAULE, Paul. *When Listening Comes Alive*, Moulin, 1949, réédition 1993, 204 p.

MILLER, Richard. *La structure du chant : pédagogie systématique de l'art du chant*, Éditions CM, 1986, 395 p.

MILLER, Richard. *On the Art of Singing*, Éditions Oxford, 1996, 318 p.

ORMEZZANO, Yves Dʳ. *Le guide de la voix*, Éditions Odile Jacob, Paris, 2000, 432 p.

PANZERA, Charles. *L'Art Vocal : 30 leçons de chant*, Éditions Librairie théâtrale, 1959, 122 p.

PECKHAM, Anne. *The Contemporary Singer : Elements of vocal technique*, Berklee guide, Berklee Press, 2000, 171 p.

PECKHAM, Anne. *Singer's handbook*, Berklee pocket, Berklee Press, 2004.

PERRIER, Jean, et Denise CHAUVEL. *La voix*, Retz, 1992, 125 p.

RIGGS, Seth. *Singing for the Stars,* Alfred, 1998.

RONDELEUX, Louis-Jacques. *Trouver sa voix*, Seuil, 1977, 192 p.

SADOLIN, Cathrine. *Complete Vocal Technique*, avec cédérom, Shout Publishing, 2000, 255 p.

SUNDBERG, Johan. *The Science of the Singing Voice*, Northern Illinois University Press, 1987.

THURMAN, Leon et Graham WELCH. *Bodymind & Voice : Foundations of Voice Education*, Voice Care Network, National Center for Voice and Speech, Fairwiew Voice Center, Centre for Advanced Studies in Music Education Publishers, Minneapolis, 1997.

TITZE, Ingo. R. *Principals of Voice Production*, National Center for Voice and Speech, 2000, 354 p.

TOMATIS, Alfred Dʳ. *L'oreille et la voix*, Robert Laffont, Paris, 1987, 363 p.

TOMATIS, Alfred Dʳ. *L'oreille et la vie*, 1987, nouvelle édition, collection Réponses, Robert Laffont, Paris, 1977, nouvelle édition 1999, 326 p.

VENNARD, William. *Singing : the Mechanism and the Technic*, édition revue et augmentée, 1967, 4ᵉ édition, Carl Fisher, New York, 1973, 275 p.

WILFART, Serge. *Le chant de l'Être : analyser, construire, harmoniser par la voix*, collection Espaces libres, Albin Michel, Paris, 1994, 197 p.

NOTES BIOGRAPHIQUES

BIOGRAPHIQUES

Les auteures

Dre Françoise P. Chagnon
Johanne Raby

Les chanteurs et les chanteuses

Marie Michèle Desrosiers
Steeve Diamond
Céline Dion
Luce Dufault
Lulu Hughes
Laurence Jalbert
Daniel Lavoie
Ariane Moffatt
Bruno Pelletier
Nanette Workman

D^{RE} FRANÇOISE P. CHAGNON

De 1976 à 1986, D^{re} Françoise P. Chagnon fait ses études de médecine, sa résidence en chirurgie générale puis en oto-rhino-laryngologie à la faculté de médecine de l'Université McGill à Montréal, et y remporte le prix H.S. Birkett en oto-rhino-laryngologie. D'abord reconnue comme spécialiste en oto-rhino-laryngologie par le Collège des médecins du Québec en 1986, elle reçoit la Bourse Walter C. Mackenzie-Ethicon-Johnson & Johnson décernée par le Collège royal des médecins et des chirurgiens du Canada et ne cesse de se spécialiser, aussi bien en chirurgie de la tête et du cou, qu'en voix professionnelle et en administration.

C'est ainsi qu'elle obtient quatre fellow ; du Collège royal des chirurgiens du Canada, du American Board of Otolaryngology and Head & Neck Surgery, de l'université Vanderbilt au Tennessee (en laryngologie et soins de la voix professionnelle), et du American College of Surgeon; puis une Maîtrise en Administration de la santé de l'Université de Montréal, un Certificat en médecine d'assurance et d'expertise et, enfin, un diplôme d'études spécialisées en Administration publique à l'École nationale d'administration publique (ENAP). Depuis 1987, D^{re} Chagnon exerce

la chirurgie comme oto-rhino-laryngologiste senior au Centre universitaire de santé McGill et au Centre hospitalier St. Mary's et, à ce titre, assure le suivi médical et la chirurgie de nombreux chanteurs connus. Parallèlement, elle enseigne à l'Université McGill comme professeur adjoint au département d'oto-rhino-laryngologie. Son professorat la conduit à devenir médecin examinateur en ORL pour le Collège des médecins du Québec. Elle occupe de nombreuses fonctions cliniques et administratives : oto-rhino-laryngologiste consultante à l'Hôpital Douglas de Verdun, à l'Hôpital des Vétérans de Ste-Anne-de-Bellevue, à la Clinique Primedic de Saint-Lambert et à la Clinique Médiclub du Sanctuaire de Montréal ; oto-rhino-laryngologiste associée au département de Chirurgie du Centre hospitalier St. Mary's à Montréal et du Centre hospitalier de LaSalle ; et directrice du département d'oto-rhino-laryngologie de l'Hôpital général de Montréal. Enfin, elle devient directrice adjointe, par intérim, puis directrice des Services professionnels du Centre universitaire de santé McGill, fonction qu'elle occupe à ce jour. Il va sans dire que D^{re} Chagnon a à son actif des dizaines de publications scientifiques dans des revues médicales canadiennes, américaines et britanniques, qu'elle agit comme analyste expert pour des

articles scientifiques en oto-rhino-laryngologie qui paraissent dans le *Otolaryngology Club Journal*, publié par Raven Press, comme arbitre scientifique en Endoscopie diagnostique et thérapeutique chez Hardwood Academic Publishers et qu'elle participe à de nombreux comités scientifiques et de gestion du Centre universitaire de santé McGill. Mentionnons enfin que D^{re} Françoise Chagnon est également très active dans la communauté. En plus de faire partie de 24 sociétés professionnelles, elle siège au conseil d'administration de nombreux organismes tels l'Ordre des Administrateurs agréés du Québec (module santé), la Corporation du Centre universitaire de santé McGill, l'Hôpital général de Montréal, l'Association des cadres supérieurs (SSCQC), le Collège canadien de directeurs des services de santé, la Conférence régionale des Directeurs de services professionnels et la Conférence régionale des directeurs régionaux de l'Association des hôpitaux du Québec, et d' organismes privés tels le *Montreal Regional Multidisciplinary Dysphagia Special Interest Group*, *British Voice Association*, *National Association of Teachers of Singing*, *National Dystonia Association*, Dystonie Montréal, La Guilde de l'Opéra de Montréal, *The Voice Foundation*, La Société musicale André Turp, *Supporting Friend of Osler Library*.

JOHANNE RABY

Née à Sherbrooke au Québec, Johanne Raby reconnaît très tôt que la passion de sa vie sera le chant. Elle fait d'abord des études en chant classique et en opéra au Conservatoire de Québec puis des études en interprétation chant à l'Université Laval, pour ensuite réussir à se qualifier, parmi des centaines de candidats, au célèbre Conservatoire Royal de Bruxelles où elle se perfectionne en répertoire contemporain. Tout au long de sa carrière, Johanne Raby a à cœur d'élargir son répertoire et de développer les talents de comédienne qui la préparent à maîtriser le genre de la comédie musicale. Elle le fera notamment en étudiant en improvisation jazz à l'Université McGill puis en chant jazz et blues à l'Université Concordia, en participant aux ateliers de formation des réalisateurs à Radio-Canada et à divers ateliers d'acteurs. La gamme variée de ses talents la conduit à de nombreuses prestations tant dans des opéras, des annonces publicitaires, des performances radiophoniques et des téléromans que dans la réalisation de comédies musicales, de tournées de chant et d'enregistrements de disques comme auteur-compositeur interprète. C'est ainsi qu'on la voit au théâtre dans *Macbeth, Un chat est un chat, Le téléphone, Les mal aimés*, à la télévision dans *Duplessis, Montréal ville ouverte, À nous deux* et *Virginie*, au cinéma dans *La Bolduc*, et sur la scène de la Butte Saint-Jacques, du Lion d'Or, du café Le Poète et du Théâtre national.

Son parcours exceptionnel comme professeure depuis trente ans la rend tout particulièrement compétente pour conseiller les chanteurs et professionnels de la voix :

— professeure de chant, au Conservatoire royal de Bruxelles puis à l'école de chant qui porte son nom, ainsi que dans des ateliers spécialisés pour les membres de l'Union des artistes (1974-2005) ;

— directrice et coach de jeu d'acteur devant la caméra aux ateliers de cinéma d'Anne-Claire Poirier (1990-1995), et aux ateliers Cinéma Sud avec le réalisateur Michel Poulette (1996-1998) ;

— professeure de chant et de théâtre en comédie musicale à l'Académie Johanne Raby, qu'elle fonde et dirige depuis 1997 ;

— fondatrice de l'Association des professeurs de chant du Québec (APCQ) ;

— « coach » vocal auprès de nombreux chanteurs professionnels et professeur de gymnastique vocale à Star Académie.

Plusieurs de ses élèves en chant, en cinéma et en comédie musicale sont maintenant connus, sont devenus finalistes de concours télévisés ou les ont remportés. Johanne Raby fait partie de l'Association française des professeurs de chant (AFPC) et de l'Association américaine des professeurs de chant (NATS).

MARIE MICHÈLE DESROSIERS

Née en 1950, Marie Michèle Desrosiers étudie encore à l'École nationale de théâtre lorsqu'elle fait la connaissance de Michel Rivard et de Robert Léger, qui l'invitent à se joindre au groupe Beau Dommage. Entre 1973 et 1978, la popularité du groupe explose : il lance cinq albums qui obtiennent tous un succès sans précédent au Québec et sur la scène internationale. Il est l'invité spécial du Festival de Spa en Belgique en 1975 et est en vedette américaine lors de la tournée européenne de Julien Clerc en 1977. Le groupe se produira aux États-Unis, en France, en Suisse et en Belgique, et remportera le Grand prix international de la jeune chanson en 1978 (France). Après la dissolution du groupe, Marie Michèle poursuit en solo sa carrière de chanteuse, en plus d'exercer son métier de comédienne dans plusieurs productions théâtrales et télévisuelles.

De 1980 à 1991, elle enregistre trois albums qui lui vaudront plusieurs nominations au Gala de l'ADISQ, compose le thème musical du film *Le Matou*, inspiré du roman de Yves Beauchemin, joue dans le populaire téléroman *Peau de banane*, anime le jeu-questionnaire télévisé *Charivari* et l'émission *Star d'un soir*. En 1994, elle retrouve ses compagnons de Beau Dommage avec lesquels elle prépare un nouvel album qui gagnera cinq Félix, et se lance dans une tournée québécoise et européenne qui se termine à Montréal en décembre 1995.

Par la suite, Marie Michèle se concentre sur sa carrière de chanteuse et enregistre à Prague un album de Noël qui récolte plusieurs nominations au Gala de l'ADISQ en 1997 et 1998, en plus de remporter le Juno de l'album francophone ayant cumulé le plus de ventes. À l'automne 2000, elle lance un album sur lequel elle reprend et adapte une série de chansons d'artistes québécois, tels que Charlebois, Gauthier, Leclerc, Cohen et Julien. Enfin, tout en se partageant entre la scène et l'écran, où elle anime l'émission *Un air de famille* à Radio-Canada et à ART-TV, elle réalise en 2002 un second album de Noël avec le Chœur de l'Armée Rouge, qui réunit des airs en russe, en anglais et en français. Le disque est à peine lancé que Marie Michèle

s'affaire déjà à adapter une nouvelle série de chansons issues des répertoires québécois, français et américains. Son dernier album est lancé en août 2003 : *Mes mélodies du bonheur* regroupe ses chansons « coups de cœur » magnifiquement arrangées par Marie Bernard. Une série de spectacles est présentée à travers le Québec en 2003-2004. À l'été 2004, elle renoue avec les planches au Théâtre de La Marjolaine à Eastman, dans la comédie musicale *Les Nonnes*. Puis, à l'été 2005, c'est aux côtés de Rita Lafontaine et de Louise Latraverse qu'elle joue pour la première fois une pièce de Michel Tremblay, *Surprise, surprise*.

STEEVE DIAMOND

Originaire de St-Barnabé Nord près de Trois-Rivières, Steeve Diamond, en plus d'être un humoriste et un imitateur, est un ténor de formation : il apprend le chant classique durant plusieurs années avec Collette Boky, France Dion, Edouardo Del Campo et John Stewart, et étudie à l'École nationale de l'humour. Il se révèle au public en 1992 lors du Festival de la relève *Juste pour rire*, ce qui lui permettra de décrocher un contrat d'animation à la station CIGB de Trois-Rivières. En 1998, la carrière de Steeve prend une envolée impressionnante : à la suite de son

premier passage au gala du Festival Juste pour rire, la critique ne tarit pas d'éloges et le surnomme « le ténor de l'humour ». La même année, il présente son premier spectacle dans lequel il imite à la perfection des artistes, tels U2, Andrea Bocelli, Ozzy Osbourne, Ginette Reno, Sarah Brightman et Luciano Pavarotti. En d'autres mots, il réunit sur scène les plus grandes voix de la planète, ce qui lui vaudra d'être en nomination en 1999 dans deux catégories au Gala des Oliviers et dans les catégories Révélation de l'année et Spectacle de l'année – Humour au Gala de l'ADISQ.

Dans les années qui suivent, Steeve sera convié à une audition pour l'Opéra de Paris et sera invité en France à l'émission de télévision de Michel Drucker, *Vivement dimanche*, et à celle de Julie Snyder, *Vendredi, c'est Julie*. En 2000 et 2001, il anime *Au Max*, une émission pour adolescents à Radio-Canada. Enfin en 2002, il monte le spectacle *Les trois ténors de l'humour, la suite*, grâce auquel il recevra six nominations au Gala des Oliviers 2003.

Depuis, Steeve est un collaborateur régulier à l'émission *Fun noir* présentée à TQS, prépare un spectacle qui prend l'affiche en 2005 et anime un gala Au Grand Rire Bleue à l'été 2005.

CÉLINE DION

Élevée dans une famille modeste de Charlemagne au Québec, Céline Dion atteint le statut de superstar et gagne tous les types de prix décernés par l'industrie de la musique dans le monde entier : les Grammy Awards aux États-Unis, les Junos au Canada, les Félix au Québec et les World Music Awards en Europe. Céline est la plus jeune d'une famille mélomane de 14 enfants et chante avec sa famille dès l'âge de 5 ans. À 12 ans, elle compose avec sa mère et un de ses frères une chanson, Ce n'était qu'un rêve, qui est envoyée à René Angélil, un gérant respecté. René est si captivé par sa voix qu'il devient déterminé à faire d'elle une artiste mondialement reconnue.

La reconnaissance internationale du talent de Céline commence en 1982 avec la médaille d'or du Festival Yamaha de la chanson à Tokyo et le très convoité Musicians' Award pour la meilleure interprète. En 1983, elle devient la première Canadienne à recevoir un disque d'or en France ! En 1988, après avoir accumulé les Félix et les albums platine, elle remporte le prestigieux concours Eurovision de Dublin, où elle chante devant 600 millions de téléspectateurs d'Europe, d'Australie, du Moyen-Orient, du Japon et de la Russie. En 1990, Céline lance Unison, son premier album en anglais, qui atteint le top 5 aux États-Unis avec le simple Where Does My Heart Beat Now. Son envol international se concrétise avec la chanson-titre du film d'animation La Belle et la Bête de Walt Disney, récompensée par un Academy et un Grammy Award. Suit immédiatement son second album en anglais, simplement intitulé Céline Dion, qui est six fois disque platine et remporte de nombreux Juno Awards.

En 1994, l'album The Colour Of My Love pulvérise tous les records en Grande-Bretagne. Céline enchaîne avec l'album D'eux, sur des chansons de Jean-Jacques Goldman. L'album introduit la musique française au sommet des palmarès britanniques, tout en obtenant les meilleures ventes de tous les temps en France. Établie comme l'une des plus grandes voix de la musique pop, Céline traverse ensuite toutes les barrières — même celles du langage — avec ses albums, ses vidéoclips, ses concerts, ses apparitions télévisées et ses prestations dans des événements internationaux. Sorti en 1996, Falling Into You devient l'album le plus vendu dans 11 pays, remporte les prix Grammy Album de l'année et Meilleur album pop, et se vend à plus de 25 millions d'exemplaires.

Céline alterne ensuite les albums anglophones et francophones. Enregistré à Londres, New York et Los Angeles, Let's Talk About Love réunit les plus grands interprètes, compositeurs et producteurs du moment. Suit de près S'il suffisait d'aimer en 1998 réalisé en collaboration avec Jean-Jacques Goldman. Trois mois plus tard paraît l'album, These are Special Times. La tournée mondiale Let's Talk About Love se termine par deux concerts historiques au Stade de France à Paris en 1999 devant plus de 180 000 spectateurs et donne lieu un an plus tard à l'album live bien nommé : Au cœur du stade.

Paraît ensuite All the Way... A Decade Of Songs qui reprend ses meilleurs succès avec des nouveautés. La compilation The Collector's Series... sort en octobre 2000 et comprend The Power Of The Dream, interprété par Céline lors des cérémonies d'ouverture des Jeux olympiques d'Atlanta en 1996 ainsi qu'une version espagnole de All By Myself.

Une biographie officielle est publiée en 1998 suivie d'une autobiographie en 2000, Ma vie, mon rêve, où Céline raconte sa vie dans ses propres mots. Son dernier album A New Day Has Come paraît en 2002 et prend la première position dans les palmarès de vente dans plus de 17 pays dans les deux semaines suivant sa sortie. Enfin, depuis mars 2003, Céline est la vedette d'un tout nouveau spectacle présenté à Las Vegas, *A New Day...*, puis lance l'album *One Heart* et son premier album français en cinq ans, *1 fille & 4 types*, dont Jean-Jacques Goldman est le directeur artistique. À chaque nouvel album, Céline parvient à surpasser ses exploits précédents, ce qui culmine à l'automne 2004 avec le Diamond Award du World Music Awards, prix pour l'artiste féminine ayant vendu le plus de disques dans toute l'histoire de la musique.

LUCE DUFAULT

Native d'Orléans, Luce Dufault commence sa carrière en se produisant dans les bars blues montréalais avec le groupe Stable Mates et en tant que choriste pour Roch Voisine et Dan Bigras. En 1989, elle remporte le premier prix du concours Musicart, animé par Daniel Lavoie, et, par la suite, s'impose de plus en plus comme interprète. C'est ainsi qu'elle est choisie pour enregistrer la chanson *Quand les hommes vivront d'amour*, dont tous les bénéfices vont au Refuge des jeunes de Montréal.

Luce Dufault est ensuite sélectionnée par Luc Plamondon pour participer à la distribution de l'opéra rock *La légende de Jimmy* et de *Starmania*, qui sera présenté au Mogador à Paris et en tournée européenne et québécoise durant plus de deux ans. En mars 1996, Luce lance son premier disque qu'elle conçoit avec plusieurs auteurs-compositeurs avec qui elle avait déjà partagé la scène, tels Dan Bigras, Richard Séguin, Daniel Lavoie et Pierre Flynn. En 1997, elle gagne le Félix du Spectacle de l'année – Interprète, après avoir mis sur pied un spectacle qui a ému la critique. Entre 1998 et 2004, Luce lance quatre albums qui sont tous suivis d'importantes tournées de spectacles à travers le Québec et dont le deuxième et le quatrième, *Des milliards de choses* et *Au-delà des mots*, récoltent plusieurs nominations au Gala de l'ADISQ dans les catégories Album de l'année – Populaire, Interprète féminine de l'année, Album de l'année – Pop-rock et Spectacle de l'année – Interprète. Le cinquième album de Luce Dufault, intitulé *Bleu*, est lancé le 30 mars 2004.

LULU HUGHES

L'impétueuse et chaude voix de Lulu Hughes lui a mérité les surnoms de « la tornade blonde » et « la plus noire des chanteuses blanches ». C'est que Lulu Hughes, avec une quinzaine d'années de métier derrière elle, a conquis les médias et un large public par la puissance de sa voix. Sa formation la prépare à faire de la scène à la fois comme chanteuse et comédienne. Entre 1974 et 1984, elle suit des cours de danse et de théâtre. Sa carrière comme soliste démarre en 1989 avec le groupe Soul What. Deux ans plus tard, on la retrouve dans la pièce *Le Café des Aveugles* de Carbone 14, alors en tournée européenne. En 1995, c'est comme soliste et choriste qu'elle fait la tournée canadienne et européenne du Montreal Jubilation Gospel Choir. La même année, elle assure la première partie du spectacle de Ray Charles au Forum de Montréal et est choriste dans un spectacle de Barry White. Ray Charles a dit d'elle : « What a wonderful voice ».

Lulu prête aussi son talent à la création de messages publicitaires, collabore aux chansons thèmes de productions cinématographiques, (*Screamers, Musketeers for ever, Platinum*), d'une émission de dessins animés (*Mona the vampire*) et d'une production télévisée franco-québécoise (*Une voix en or*). Durant la même période, Lulu est choriste pour de nombreux chanteurs ou groupes, tels Too Many Cooks, Barry White, Dan Bigras, Luce Dufault, Julie Masse, Rock Voisine, puis décroche le rôle de Marie-Jeanne, dans l'opéra rock *Starmania*, qu'elle joue pendant deux ans au légendaire Casino de Paris, puis en tournée partout dans la francophonie.

Lulu Hughes commet son premier album, éponyme, comme auteure-compositeure interprète en 2002 et soulève l'enthousiasme avec ses rythmes résolument funky, hip hop, rockin', blues et jazzés. La chanson *Rock with me* tient la première place du palmarès pendant 12 semaines et remporte le prix SOCAN pour la chanson la plus jouée à la radio en 2002. En 2003, elle collabore à l'album d'Antoine Clamaran, *Release yourself,* qui devient numéro 1 en Europe et aux États-Unis, puis joue dans *Rent* au théâtre de l'Olympia à Montréal. Elle termine une tournée québécoise en 2004 et fait paraître son deuxième album au printemps 2005.

LAURENCE JALBERT

Née en 1959, Laurence Jalbert grandit à Rivière-au-Renard, un petit village de la Gaspésie, où elle apprend la musique. Dès l'âge de seize ans, elle commence à jouer de l'orgue dans les pianos-bars et, accompagnée par de nombreuses formations, elle sillonne ainsi le Québec pendant plus de quinze ans, passant progressivement de musicienne à chanteuse. En 1987, le groupe *Volt*, dont elle fait partie et pour lequel elle écrit, remporte la finale du concours *L'Empire des futures stars*, ce qui permet aux membres d'enregistrer la chanson *Nobody knows*. Laurence lance son premier disque en 1990, l'album éponyme Laurence Jalbert, dont les chansons *Tomber* et *Au nom de la raison* feront partie des dix chansons les plus populaires de l'année. Grâce à cet album, elle remportera aussi deux Félix au Gala de l'ADISQ, soit celui de Révélation de l'année et celui de Vidéoclip de l'année.

Durant les années qui suivent, Laurence participe à de nombreux événements, tels que la fête de la Saint-Jean Baptiste, les Francofolies de Montréal et de La Rochelle, le Festival International de Louisiane *At the crossroad of the Americas* et le spectacle *Le Québec a des ailes*. En 1992, après avoir donné plus de cent cinquante représentations de son spectacle un peu partout au Québec, Laurence remporte le prix du Meilleur spectacle à la 25e édition du Festival d'été international de Québec. Par la suite, Laurence est presque continuellement en tournée au Québec et en France, elle lance en 1998 son troisième album et amorce une tournée qui durera deux ans en compagnie de Dan Bigras. En 2001, Laurence présente en France le spectacle intitulé *Petite Vallée traverse la mer* et prépare un nouveau disque sur lequel elle s'accorde le plaisir de chanter les mots d'autres auteurs, comme Roger Tabra, Serge Lama, François Vigneault, Danielle Matton, Mario Peluso et Nelson Mainville.

DANIEL LAVOIE

Daniel Lavoie est né le 17 mars 1949, au Manitoba. Après avoir étudié le piano chez les religieuses, il remporte en 1967 un concours d'auteur-compositeur organisé par la Société Radio-Canada dans le cadre de l'émission *Jeunesse Oblige*. Il s'installe au Québec en 1971, période durant laquelle il se produit dans les cafés et les pianos-bars. En 1979, il lance l'album *Nirvana bleu*, dont un accueil français favorable lui vaut trois semaines de spectacle au Petit Montparnasse à Paris. Au Québec, il reçoit consécutivement le Félix de l'Interprète masculin de l'année de 1980 et de 1981.

Durant les années qui suivent, Daniel chante au théâtre Bobino à Paris, au Festival de Bourges, en Belgique, en Suisse et au Québec, où il revient pour lancer son disque *Tension attention*, grâce auquel il remportera trois Félix en 1984, un Midem d'or à Cannes ainsi que le Victoire du meilleur album francophone de l'année lors du grand gala de Paris en décembre 1985.

Après cette période d'intense popularité, Daniel prend le temps de préparer deux albums, *Vue sur la mer* (1987) et *Long courrier* (1990), qui remporteront de nombreux prix, et d'entreprendre d'autres projets d'envergure : un spectacle à New York à l'invitation de Liza

Minelli, lequel est diffusé à la télévision, un spectacle au profit d'Amnistie internationale auquel Michel Rivard, Sting, Peter Gabriel et Bruce Springsteen participent, et l'enregistrement d'un album en concert à l'Olympia de Paris.

À partir de 1991, la carrière de Daniel Lavoie se diversifie. Le chanteur fait ses débuts au cinéma dans le film *Le fabuleux voyage de l'ange* de Jean-Pierre Lefebvre, il interprète le rôle du peintre Eugène Delacroix dans l'opéra rock *Sand et les romantiques*, celui de l'Aviateur dans le spectacle *Le Petit Prince de Saint-Exupéry* et celui de Félix Leclerc dans la télésérie du même nom. Il compose également la musique de plusieurs films, dont *Jours de plaine,* il lance deux albums en anglais et deux albums pour enfant, il chante en duo, écrit de nombreuses chansons pour d'autres artistes et réalise leurs albums. Surtout, il personnifiera durant plusieurs années le curé Frollo dans la mégaproduction musicale *Notre-Dame de Paris*, et ce, tant en France et en Angleterre qu'au Québec.

ARIANE MOFFATT

Née le 26 avril 1979, Ariane Moffatt a complété des études collégiales en chant-jazz et s'est classée parmi les finalistes de l'édition 1996 de Cégeps en spectacle, où elle a remporté la bourse de l'Office franco-québécois pour la jeunesse, ce qui lui a permis de chanter au Festival de Belfort en France.

En 1998, elle gagne le prix de la Meilleure interprète du concours *l'Empire des futures stars* et se joint au groupe 10 Zen, le temps d'un album studio. Entre-temps, elle devient l'une des membres de Los Gaminos, le groupe qui anime musicalement l'émission de Patrice L'Écuyer à la Société Radio-Canada. Par la suite, alors qu'elle est inscrite en chant classique et en musique populaire à l'université, Ariane abandonne ses études et part en tournée avec Marc Déry. Elle y rencontrera Daniel Bélanger qui, plus tard, l'invitera à se joindre à son équipe pour les spectacles de son disque *Rêver Mieux*. Durant cette période, elle écrit et compose son premier album, *Aquanaute*, qu'elle coréalise avec la complicité de Francis Collard et de Joseph Marchand. Grâce à ce disque, elle remporte trois Félix en octobre 2003, dont celui de la Révélation de l'année et celui de l'Album pop-rock de l'année.

BRUNO PELLETIER

Bruno Pelletier est né le 7 août 1962, à Charlesbourg. Au cours des années 1980, il se produit dans les bars avec différents groupes puis, en 1989, il participe au concours *Rock Envol*, où la prestation de son groupe Pëll est remarquée.

C'est le rôle-titre dans l'opéra rock *La légende de Jimmy*, qu'il obtient en 1992, et son premier album, lancé la même année, qui seront pour lui des occasions de se révéler au public et de se tailler une place en tant qu'auteur-compositeur. En 1993, Luc Plamondon lui offre d'interpréter un rôle dans la nouvelle version parisienne de *Starmania* et de participer à la tournée européenne du spectacle, laquelle durera deux ans. Pendant *Starmania*, il écrit et prépare un deuxième album, *Défaire l'amour,* qui voit le jour en 1995 et qui est suivi d'une tournée. À l'automne 1997, Bruno remporte le Félix de l'Interprète masculin de l'année au Gala de l'ADISQ, et ce, grâce à son album *Miserere*, qui connaît un énorme succès auprès du public.

Durant l'année qui suit, il fait une apparition dans la série télévisée *Omerta II* et décroche le rôle de Gringoire dans une nouvelle comédie musicale de Luc Plamondon et de Richard Cocciante, *Notre-Dame de Paris*, dont son interprétation de la chanson *Le temps des cathédrales* fera de lui une figure majeure de la chanson francophone. Par la suite, en plus d'enregistrer d'autres albums, *D'autres rives*, *Sur scène*, *Un monde à l'envers* et *Concert de*

Noël avec l'Orchestre symphonique de Montréal, il mettra sur pied une maison de production et de conseils dont le but est d'aider des artistes en début de carrière.

En 2001, il s'accorde une période de repos durant laquelle il s'engage à promouvoir la Fondation Rêves d'Enfants et travaille à divers projets. Aujourd'hui, avec à son actif sept albums, cinq comédies musicales et quatre tournées, Bruno Pelletier prépare un événement musical d'envergure : *Dracula, entre l'amour et la mort*.

NANETTE WORKMAN

Nanette Workman est née à New York aux États-Unis en 1945. Fille d'un trompettiste et d'une chanteuse de music-hall, elle grandit à Jackson au Mississippi. Elle chante d'abord dans des chorales où elle apprend à lire la musique, puis elle étudie le piano, le violon et le chant. À 19 ans, elle décroche un rôle dans la comédie musicale *How To Succeed In Business Without Really Trying*, qui est présentée pendant deux ans à New York et ailleurs. Elle s'installe à Montréal en 1966, suivant les conseils du producteur et chanteur québécois Tony Roman, qui l'invite à chanter des reprises de succès français ou des adaptations de titres anglo-saxons, à la suite de quoi elle est élue Découverte féminine de l'année au Gala des artistes de 1967.

Dans les années qui suivent, elle travaille comme choriste à Londres et en France avec différents artistes, dont John Lennon, Ringo Starr, George Harrison, The Rolling Stones, Joe Cocker, Johnny Hallyday et plusieurs autres. Enfin, elle revient au Québec où, à la faveur de la mode disco et funky, elle connaît un énorme succès avec la chanson *Lady Marmelade*. En 1978, elle décroche à Paris le rôle de Sadia dans l'opéra rock *Starmania*, de Michel Berger et de Luc Plamondon, qui lui vaudra un succès immense grâce à la chanson *Ce soir on danse*.

Elle remporte ensuite en 1982 le Félix du 45 tours le plus vendu avec la chanson *Call-girl*, elle participe pendant deux ans au spectacle *Du gramophone au Laser* de Jean-Pierre Ferland, elle chante dans la comédie musicale *1926* pour le Festival de Jazz de Montréal et devient La Diva dans la comédie musicale *La légende de Jimmy*, en France. Enfin, Nanette a joué dans plusieurs films et a été introduite en avril 2000 au *Mississipi Musicians Hall of Fame* aux côtés d'Elvis Presley et de B.B. King, notamment.

BIG MAN PLANS

Written by
Eric Powell & Tim Wiesch
Art by
Eric Powell

IMAGE COMICS, INC.
Robert Kirkman – Chief Operating Officer
Erik Larsen – Chief Financial Officer
Todd McFarlane – President
Marc Silvestri – Chief Executive Officer
Jim Valentino – Vice-President

Eric Stephenson – Publisher
Corey Murphy – Director of Sales
Jeff Boison – Director of Publishing Planning & Book Trade Sales
Jeremy Sullivan – Director of Digital Sales
Kat Salazar – Director of PR & Marketing
Emily Miller – Director of Operations
Branwyn Bigglestone – Senior Accounts Manager
Sarah Mello – Accounts Manager
Drew Gill – Art Director
Jonathan Chan – Production Manager
Meredith Wallace – Print Manager
Briah Skelly – Publicity Assistant
Randy Okamura – Marketing Production Designer
David Brothers – Branding Manager
Ally Power – Content Manager
Addison Duke – Production Artist
Vincent Kukua – Production Artist
Sasha Head – Production Artist
Tricia Ramos – Production Artist
Jeff Stang – Direct Market Sales Representative
Emilio Bautista – Digital Sales Associate
Chloe Ramos-Peterson – Administrative Assistant
IMAGECOMICS.COM

BIG MAN PLANS TP. FIRST PRINTING. DECEMBER 2015.
ISBN: 978-1-63215-622-8

Published by Image Comics, Inc. Office of publication: 2001 Center Street, 6th Floor, Berkeley, CA 94704. Copyright © 2015 Eric Powell & Tim Wiesch. All rights reserved. Originally published in single magazine form as BIG MAN PLANS #1-4. BIG MAN PLANS™ (including all prominent characters featured herein), its logo and all character likenesses are trademarks of Eric Powell & Tim Wiesch, unless otherwise noted. Image Comics® and its logos are registered trademarks of Image Comics, Inc. No part of this publication may be reproduced or transmitted, in any form or by any means (except for short excerpts for review purposes) without the express written permission of Image Comics, Inc. All names, characters, events and locales in this publication are entirely fictional. Any resemblance to actual persons (living or dead), events or places, without satiric intent, is coincidental.

PRINTED IN THE U.S.A. For information regarding the CPSIA on this printed material call: 203-595-3636 and provide reference # RICH – 654520.

PART ONE

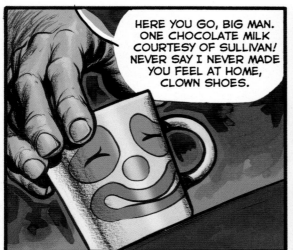

HERE YOU GO, BIG MAN. ONE CHOCOLATE MILK COURTESY OF SULLIVAN! NEVER SAY I NEVER MADE YOU FEEL AT HOME, CLOWN SHOES.

I ORDERED A WHISKEY NEAT.

I'M GONNA LOSE MY LIQUOR LISCENSE SERVING TO A MINOR?!

YOU MUST BE THIS HIGH TO RIDE, BIG MAN!

WELL, THAT WAS A SHORT VISIT!

SO MUCH TO DO, SO LITTLE TIME!

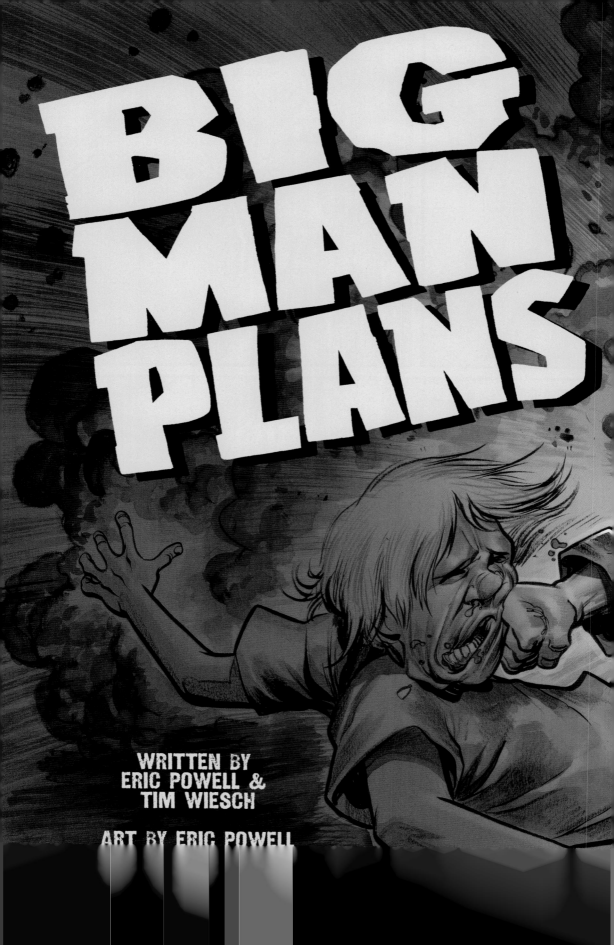

NASHVILLE. ONE WAY.

TENNESSEE. NEVER THOUGHT I'D BE GOING THERE AGAIN.

NOT AFTER PAPA. MY PAPA. HE WAS A GREAT MAN.

SHEW! THIS STINKS!

SURE DOES! COME ON, LETS GO FEED THIS SLOP TO THEM HOGS, MY BIG MAN!

OK, DADDY! C'MON LITTLE SISTER! WE GOTTA FEED THE PIGS!

HE WAS THE ONLY ONE WHO EVER CALLED ME THAT WITHOUT VENOM TO IT.

I WILL, PAPA. I PROMISE.

I'M DEPENDING ON YOU, BIG MAN. WHEN I'M OLD AND GREY YOU'RE GONNA HAVE TO PULL THROUGH FOR YOUR MOTHER, SISTER, AND ME. SOME DAY I'M GOING TO BE LEAVING IT ALL UP TO YOU, BUT I KNOW YOU CAN HANDLE IT.

WHEN IT CAME TO ME, THAT WAS ALWAYS PAPA'S MAJOR FAULT. OPTIMISM. BLIND FUCKING OPTIMISM.

MY MOTHER ON THE OTHER HAND WAS A DIFFERENT STORY. SHE WAS ONE OF THOSE PEOPLE WHO WANTED TO LOOK DOWN HER NOSE AT THE WORLD. HOW MUCH MONEY SOMEBODY HAD WAS HOW SHE JUDGED CHARACTER.

I REALLY BLAME MYSELF FOR WHAT HAPPENED. I REALLY DO. BECAUSE FOR A WOMAN LIKE THAT TO HAVE A SON LIKE ME... WELL, IT MUST HAVE BEEN DAMN NEAR UNBEARABLE FOR THE SELFISH ASSHOLE.

SHE MUST HAVE HEARD EVERY WHISPER BEHIND SILENCING HANDS.

POOR DELILAH. YOU KNOW SHE GOT THAT DWARF BOY.

I BET THE LORD GAVE IT TO HER FOR THEM SNOOTY WAYS OF HERS. KNOCK HER DOWN A PEG OR TWO.

YEAH, I'M CONVINCED SHE LEFT BECAUSE OF ME. SO... IN A WAY... I GUESS YOU COULD SAY I KILLED MY DADDY.

WELL, HOWDY, DELILAH! I WAS JUST TELLIN' BETH ABOUT MY BOY WILLIAM MAKING THE VARSITY BASKETBALL TEAM! AND HOW'S YOUR BOY DOING?

I WAS THIRTEEN WHEN SHE LEFT AN ABRUPT DEAR JOHN LETTER AND NO FORWARDING ADDRESS.

PAPA TOOK IT REALLY HARD. LIKE I SAID, HE WAS AN OPTIMISTIC MAN. HE NEVER SAW THE BAD IN HER UNTIL SHE HAD RIPPED OUT HIS HEART.

HE HIT THE BOTTLE REALLY HARD. DRINKING DAY AND NIGHT. I DIDN'T HAVE THE COURAGE TO TRY TO TAKE IT AWAY FROM HIM.

PAPA!

PAPA! PAPA, PLEASE!

AUNT REVELED IN THE ATTENTION SHE GOT FROM PAPA'S FUNERAL. LITTLE SISTER AND ME WERE TREATED MORE LIKE SPECTATORS.

OH, MY DEAR BROTHER! I'LL MISS HIM SO! HOW WILL I EVER GET OVER THIS SORROW?!

THERE, THERE, DEAR.

BUT THERE WERE SOME WHO SHOWED SOME SYMPATHY.

I'M SO SORRY FOR YOUR LOSS.

THEN THINGS JUST GOT WORSE.

THAT PLOW IS TOO BIG FOR YOU!

I CAN DO IT!

I PROMISED PAPA!

COME, CHILDREN, WE'RE HERE TO TAKE YOU TO NICE NEW HOMES!

WHAT?! NO, I HAVE TO TAKE CARE OF SISTER AND THE FARM!

I PROMISED PAPA!

OH, COME NOW, YOU'RE AN UNDERAGE DWARF. I HARDLY THINK YOU CAN MANAGE A FARM.

I SAID NO! I PROMISED PAPA! I CAN DO IT!

RIGHT. GRAB THE BOY, I'LL TAKE THE GIRL.

NO! DON'T TAKE ME AWAY!

LET GO OF MY LITTLE SISTER!

I, ON THE OTHER HAND, SPENT THE REST OF MY ADOLESCENCE IN AN ORPHANAGE GETTING THE SHIT KICKED OUTTA ME. NOBODY WANTED TO ADOPT A TEENAGE DWARF.

LITTLE SISTER GOT PUT IN A FOSTER HOME IMMEDIATELY. SHE WAS A PRETTY YOUNG LITTLE GIRL. JUST WHAT EVERY FAMILY IS LOOKING FOR.

YEAH, IT WAS DUMB TO TRY TO ENLIST, I DIDN'T KNOW ANY BETTER. I WAS JUST A STUPID KID. AND I WANTED OUT OF THAT SHIT KICKER TOWN.

SON, I APPRECIATE YOU WANT TO DO YOUR PATRIOTIC DUTY AND SERVE YOUR COUNTRY, ESPECIALLY WITH SO MANY OF TODAY'S YOUTH BEING LONG HAIRED DEGENERATE DIRTY COMMIE LOVERS OF LOW CHARACTER, BUT YOU HAVE TO BE OUT OF YOUR FUCKING MIND IF YOU THINK THE U.S. ARMY IS GOING TO TAKE A MIDGET!

B-BUT I DON'T HAVE TO FIGHT. I COULD JUST CLEAN OR SOMETHING.

GET THE FUCK OUT.

HEY, BOY.

C'MERE.

HIS NAME WAS NELSON. AT LEAST THAT'S WHAT HE TOLD ME. DON'T KNOW IF IT WAS HIS FIRST NAME OR LAST. DON'T KNOW WHAT BRANCH OF THE GOVERNMENT HE WORKED FOR. SHIT, MAYBE HE DIDN'T EITHER.

THESE GODDAMN VIETCONG GOT TUNNELS RUNNIN' EVERYWHERE. DIG LIKE FUCKING GOPHERS. GIVIN' OUR BOYS FITS. WE'RE LOSING A LOT OF GOOD MEN OVER THERE AND DYING IN SOME MUD HOLE IN A BACK WOOD GOOK COUNTRY IS NO WAY FOR A GOD-FEARING AMERICAN TO DIE!

I'VE BEEN PUT IN CHARGE OF A TOP SECRET PROGRAM... COMPLETELY OFF THE BOOKS. I NEED MEN PHYSICALLY SUITED TO TAKE THE FIGHT TO THE CONG DOWN IN THOSE TUNNELS.

YOU OBVIOUSLY FIT THE BILL.

IF YOU AGREE TO JOIN MY PROGRAM YOU WILL IMMEDIATELY BE TAKEN FROM HERE TO THE TRAINING FACILITY. NO ONE WILL BE MADE AWARE OF YOUR DEPARTURE AND YOU WILL BE REMOVED FROM CONTACT WITH THE OUTSIDE WORLD. YOU WILL BE ERASED. YOU WILL BE THROWN INTO THE MOST INTENSIVE AND BRUTAL TRAINING KNOWN TO MAN. SHOULD YOU SURVIVE THAT, ALL YOU HAVE TO LOOK FORWARD TO IS BEING THROWN DOWN A HOLE FULL OF JUNGLE SAVAGES THAT WANT TO MURDER YOU. IN FACT THE CHANCES OF YOUR SURVIVAL ARE-

I'LL DO IT.

CLICK!

GOOD. SAVES ME FROM HAVING TO KILL YOU.

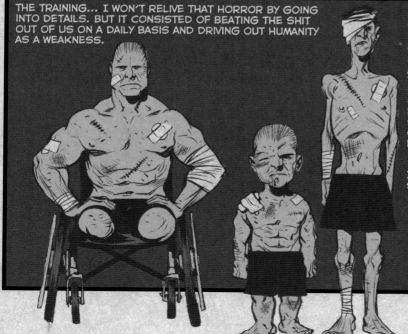

THE TRAINING... I WON'T RELIVE THAT HORROR BY GOING INTO DETAILS. BUT IT CONSISTED OF BEATING THE SHIT OUT OF US ON A DAILY BASIS AND DRIVING OUT HUMANITY AS A WEAKNESS.

THERE WERE THREE OF US. THE SKINNY GUY, DANIEL, HE DIED DURING IT. NORMAN, AN OLYMPIAN WHO LOST HIS LEGS IN A CAR ACCIDENT, HAD A MEAN STREAK AND HANDLED THE TRAINING JUST FINE. I KINDA GOT THE FEELING HE COULDN'T WAIT TO CRAWL DOWN A HOLE AND MURDER SOMEONE. GET SOME KIND OF KARMIC SATISFACTION BACK FOR LOSING HIS LEGS.

I NEVER KNEW WHERE THEY SENT HIM AFTER TRAINING.

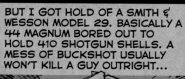

BUT I GOT HOLD OF A SMITH & WESSON MODEL 29. BASICALLY A 44 MAGNUM BORED OUT TO HOLD 410 SHOTGUN SHELLS. A MESS OF BUCKSHOT USUALLY WON'T KILL A GUY OUTRIGHT...

Con có thể nghe họ. Lính Mỹ. Họ giẩm đạp trong làng. Họ sẽ không dám đến đây.

OFFICIALLY WE WERE ONLY EQUIPPED WITH A FLASHLIGHT, A BAYONET, AND THE STANDARD ISSUE .45.

BUT IN CLOSE QUARTERS...

HỌ Ở TRONG ĐƯỜNG HẦM!

LÀM ƠN! LÀM ƠN! TÔI CÓ GIA ĐÌNH! LÀM ƠN... HỌ CẦN TÔI.

ABOVE GROUND IN THE DAYLIGHT THIS MAN WOULD HAVE CHARGED AT ME WITHOUT A SECOND THOUGHT, BUT DOWN HERE, IN THE DARK...

I'M A MONSTER TO BE FEARED.

I LOOKED AT THIS MAN COWERING FOR HIS LIFE AND KNEW NELSON'S TRAINING HADN'T COMPLETELY KILLED MY HUMANITY.

WE BLED THE SAME BLOOD, IN THE SAME MUD. WE WERE MEN. NOT ANIMALS.

I DON'T EVER DREAM ABOUT WHAT I DID OVER THERE...

BUT I BET THEY DREAM OF ME.

ĐI NGỦ LUÔN, HAY CÁCH GIẢI THÍCH CÁI CHẾT NHỎ NHẤT SẼ MANG CON ĐI. *

*TRANSLATION: "TO BED RIGHT NOW OR THE TINIEST VERSION OF DEATH WILL COME FOR YOU!"

ODDLY ENOUGH I SURVIVED NAM. ONLY BECAUSE MY TOUR WAS CUT SHORT. I'M POSITIVE OF THAT.

SEEMS SOME POLITICIAN GOT CURIOUS ABOUT SOME MISSING FUNDS. FUNDS THAT WERE SECRETLY BEING FUNNELED INTO NELSON'S LITTLE PROJECT.

THE PROJECT WAS SHUT DOWN AND SINCE I WASN'T OFFICIALLY PART OF THE U.S. MILITARY, THEY SENT ME PACKING.

SAD THING IS SINCE I LEFT NAM I'VE NEVER FELT MORE LOST.

I DIDN'T LIKE IT OVER THERE. I WAS TREATED EVEN MORE LIKE A SUB-HUMAN THAN OVER HERE... BUT AT LEAST I HAD PURPOSE.

FOLLOWING THE WAR I SPENT MOST OF MY DAYS BACK IN THE STATES DRINKING, FIGHTING, AND FUCKING.

BAR

OH, BABY! YES!

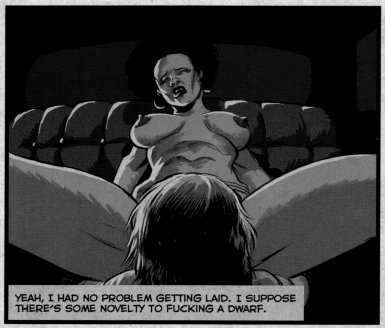

YEAH, I HAD NO PROBLEM GETTING LAID. I SUPPOSE THERE'S SOME NOVELTY TO FUCKING A DWARF.

MOTHER FUCKIN' MIDGET! WHAT ARE YOU DOIN' WITH MY WOMAN?!

I'M MOTHER FUCKING HER, FUCKER! AND RIGHT FOR A CHANGE!

I'LL FUCKIN' KILL YOU!

I SUPPOSE I WOULD HAVE HANDLED THE SITUATION DIFFERENTLY HAD I NOT HAD HALF A BOTTLE OF JACK DANIELS IN ME AND BEEN IN A BETTER MOOD.

GETTING DRUG INTO THE STREET WITH YOUR COCK FLAPPING IN THE WIND TENDS TO SOUR YOUR TEMPERAMENT.

HELP! HE'S KILLING HIM! HE'S KILLING HIM!

I SHIT YOU NOT, CARL. I ROLLED UP HERE AND THAT NAKED MIDGET IS WHOOPIN' THE TAR OUTTA THAT BOY WITH A TIRE IRON.

AMBULANCE

THIS GODDAMN JOB IS FOR THE BIRDS.

AT THE RATE I WAS GOING, IT WAS ONLY A MATTER OF TIME BEFORE I WENT TO JAIL.

I KNOW WHY YOU'RE IN HERE...

AS HE WHISPERS IN MY EAR I FEEL THE FORK IN MY HAND AND FIND IT FUNNY THEY GIVE US PLASTIC UTENSILS.

IT'S SAFER THAN GIVING US METAL, YA KNOW.

IF YOU DON'T LIKE WHO I FUCK, I'M HAPPY TO STAB FUCK HOLES IN YOU BITCHES!

WHAT IN THE HELL IS GOING ON HERE?!

MY FELLOW INMATE SEEMS TO BE HAVING A HARD TIME CONVERSING WITH THAT HOLE IN HIS NECK. MAYBE I CAN ASSIST.

GRRRGRL! GURGLE! H-H-E-LP! M-ME!

SOME BLEEDING HEARTS STARTED A BIG STINK WHEN THEY HEARD A PERSON OF SMALL STATURE WAS BEING HELD IN GENERAL POPULATION IN THE PRISON AND WAS HAVING TO DEFEND HIMSELF AGAINST ATTACKS.

SO EVEN THOUGH I HAD JUST RIPPED A GUY'S THROAT OUT, THEY SET ME FREE. GOTTA LOVE HIPPIES.

ROCK BOTTOM IS A GOOD PLACE TO BUILD FROM.

WHEN I GOT OUT OF THE CAN I THOUGHT IT'S TIME TO CUT THE SHIT. I GOTTA GET MY ACT TOGETHER AND START TRYING TO MAKE A LIFE FOR MYSELF.

BUT THAT WAS BEFORE I GOT YOUR LETTER.

ROCK BOTTOM IS ALSO A GREAT PLACE TO TEAR THE FUCKING FOUNDATIONS DOWN FROM.

THANKS FOR THE RIDE.

GOD BLESS.

GOD HAS A PLAN FOR US ALL...

NOTHING PISSES ME OFF MORE THAN WHEN SOME STUPID KITTEN SWEATER WEARING ASSHOLE LOOKS DOWN ON ME AND SAYS, "GOD HAS A PLAN FOR US ALL."

FUCK YOU. TELL A KID CLEANING THE BLOOD FROM THEIR UNDERWEAR OUT OF FEAR AND SHAME AFTER THEY'VE BEEN MOLESTED THAT IT'S GOD'S PLAN.

CHIN UP

HARDWARE

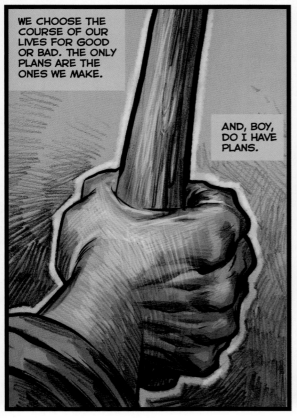

PART TWO

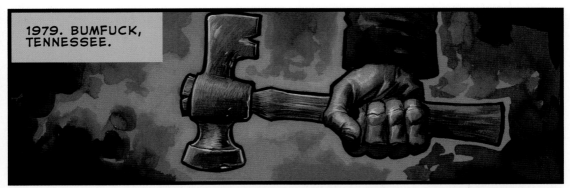

1979. BUMFUCK, TENNESSEE.

THE LONE KEG

HA! HA! YOU BOYS IS ABOUT AS SMART AS A BAG OF HAMMERS! SEE YA TOMORROW.

FUCK YOU AND GOODNIGHT, DEPUTY!

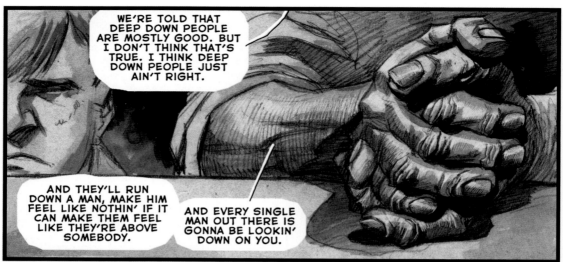

WE'RE TOLD THAT DEEP DOWN PEOPLE ARE MOSTLY GOOD. BUT I DON'T THINK THAT'S TRUE. I THINK DEEP DOWN PEOPLE JUST AIN'T RIGHT.

AND THEY'LL RUN DOWN A MAN, MAKE HIM FEEL LIKE NOTHIN' IF IT CAN MAKE THEM FEEL LIKE THEY'RE ABOVE SOMEBODY.

AND EVERY SINGLE MAN OUT THERE IS GONNA BE LOOKIN' DOWN ON YOU.

THERE IS THE TEST. A REAL MAN TAKES THE HARDSHIPS OF LIFE AND HE KEEPS GOING. A REAL MAN DON'T BLAME FATE FOR HIS FAILURE.

A REAL MAN TAKES ALL THE PAIN AND THE HATE THAT THE WORLD GIVES HIM AND HE SPITS IT RIGHT BACK. A REAL MAN WILL NOT BE KEPT DOWN.

A REAL MAN IS JUDGED BY HIS HEART, NOT BY HIS HEIGHT.

NEVER QUIT! NEVER STOP! PROMISE ME, BOY! PROMISE ME YOU AIN'T GONNA EVER QUIT!

I PROMISE, PAPA.

I PROMISE I AIN'T NEVER GONNA QUIT.

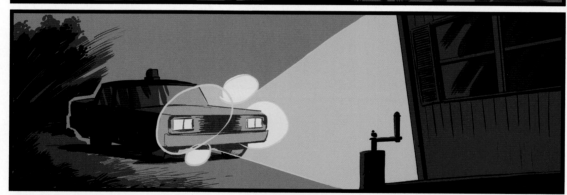

KRACK!

WE GOT OUR BUSHWACKER.

SHIT! YOU WAS RIGHT! HE COME AFTER ME, TOO!

WHAT THE HELL?! IS THAT--

YOU GOTTA BE SHITTIN' ME!

ALRIGHT. GOTTA GET HIM OUT OF THE HOUSE FOR THIS KIND OF WORK. DON'T WANT TO LEAVE ANY EVIDENCE BEHIND. PICK HIM UP AND LET'S GO.

THUD!

THE DAY I GOT HER LETTER. THE DAY I GOT HER LETTER... I SWORE I'D SET THIS GODDAMN WORLD ON FIRE.
A MAN DOESN'T QUIT, PAPA. A MAN DOESN'T QUIT.

PART THREE

VIETNAM.

COME IN! COME IN! WE ARE COMING IN FOR EXTRACTION! DO YOU READ?!

THERE!

WHAT HAPPENED?!

FUCKIN' CHARLIE, AM I RIGHT?

KNOCK!
KNOCK!
KNOCK!

CAN I HELP--

FUCKING CHARLIE, AM I RIGHT??

YOU BOYS, ALWAYS ROUGH HOUSING.

IT'S OKAY; I'VE ALWAYS TAKEN CARE OF YOU CHILDREN. NO MATTER HOW RAMBUNCTIOUS YOU GET.

DID YOU HEAR KENNEDY SAY WE'RE GOING TO GO TO THE MOON? I WOULD LOVE TO TAKE A BOAT TO THE MOON.

BUT MY PONY, RUHBARB, WOULDN'T FIT. I COULD NEVER LEAVE HER BEHIND. I GOT HER WHEN I WAS NINE, YOU KNOW.

GNUUU-

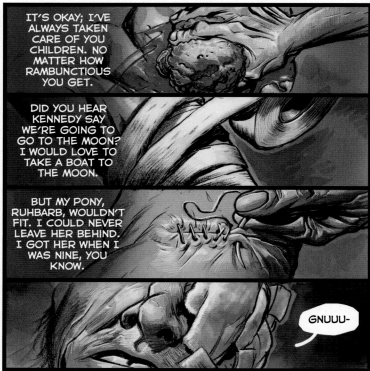

NOW, NOW. CHIN UP.

NOW, REMEMBER... CHIN UP!

CHIN UP HARDWARE

I NEED SOMETHING HEAVY BUT I ONLY HAVE FIFTY CENTS.

WELL, I GOT A SMALL LENGTH OF SCRAP LEAD PIPE. WILL THAT DO?

OK.

THE NURSE AIN'T AROUND NOW, YOU LITTLE SHIT! TIME TO FINISH TAKING YOUR MEDICINE.

CHIN UP.

MY GOD, WHAT HAVE YOU DONE?!

THE OLD NURSE AND I WATCH SOAP OPERAS FOR THE NEXT FEW DAYS AS I REGAIN MY STRENGTH AND WAIT FOR THE PACKAGE.

WHEN I WAS A CHILD YOU COULD SEE THE CHICKENS UNDER THE HOUSE BETWEEN THE FLOORBOARDS. THAT'S HOW POOR WE WERE.

I ALSO HAD PREMARITAL SEX ONCE. IT WAS BEAUTIFUL. WOULD YOU LIKE A MOONPIE?

I MADE A CALL TO MY GIRL. GOT HER TO SEND ME THE STUFF I STASHED FOR SAFE KEEPING.

BABY, WHAT IS GOIN' ON?! THE COPS ARE LOOKING FOR YOU EVERYWHERE?! SAY YOU BLEW UP A BAR!

IT'S A LONG STORY. I'LL FILL YOU IN ANOTHER TIME. RIGHT NOW, I NEED A FAVOR. I GOT A BAG IN A STORAGE LOCKER. I NEED YOU TO GET IT AND SHIP IT TO ME.

AND DON'T OPEN IT.

OH, LOOK! MY MOTHER SENT HER COCONUT CAKE FOR THE HOLIDAYS!

IT'S SEPTEMBER. AND I BELIEVE IT'S FOR ME.

OH, YES. MOMMA DIED WHEN I WAS TWENTY.

EVERYTHING JUST AS I LEFT IT.

A FEW TOOLS.

SOME CLEAN CLOTHES.

AND THE LETTER.

I REMEMBER THAT NIGHT.

THE NIGHT I GOT YOUR LETTER. IT WAS THE SAME NIGHT I SAW YOUR PHOTO IN THE PAPER.

I REMEMBER I GOT REALLY DRUNK.

I REMEMBER SITTING IN A WET, CRUDDY ALLEY.

I REMEMBER THE GRENADE IN MY POCKET.

YOU SICK FUCK, YOU'RE FIRED! WHO IN THE HELL WOULD BUY SHIRTS LIKE THAT?!

FUCK YOU, MAN, I DON'T NEED THIS FUCKIN' JOB ANYWAY, YA GODDAMN SQUARE!

HANG IN THERE...

HA!

HAHHA-HAHA-HA!!

IT WAS A SIGN.

GOODBYE, NURSE, THIS WILL BE THE LAST TIME YOU'LL EVER SEE ME. YOU WERE ALWAYS GOOD TO ME. I'VE NEVER FORGOTTEN.

GOODBYE, DEAR, YOU STAY OFF THAT RUSTY SWINGSET, YOU HEAR. SO MANY SCRAPED KNEES!

YES, MA'AM.

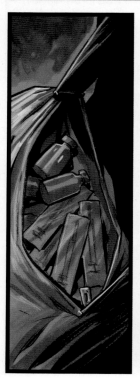

MAYBE JUST A LITTLE FOR ME. TO TAKE THE EDGE OFF.

HELLO, AUNT. REMEMBER ME.

I'M THE NEPHEW YOU GAVE UP.

TAKE THEM IN?! I COULDN'T POSSIBLY! YOU'LL JUST HAVE TO FIND THEM OTHER HOMES!

BUT THEY'RE YOUR BLOOD.

I DON'T WANT TO SHARE MY ROOM WITH THEM, MOMMA! ESPECIALLY HIM! HE'S GROSS!

HMPH! DON'T YOU WORRY, DEAR! THERE ARE HOMES AND ORPHANGES FOR THEIR KIND! YOU WON'T BE SHARING A ROOM WITH ANYONE.

ME AND SISTER WERE SPLIT UP BECAUSE OF YOU. I WAS SENT TO AN ORPHANAGE WHERE I WAS BEATEN DAILY BECAUSE OF YOU.

I KNOW YOU CAN'T MOVE OR SPEAK SINCE THE STROKE. BUT THE HATE IN YOUR EYES TELLS ME YOU'RE STILL IN THERE. AND YOU KNOW EVERYTHING YOU'VE DONE.

RIGHT NOW WE'RE GONNA SIT AND WAIT FOR MY COUSIN TO GET HERE FOR HIS NIGHTLY VISITATION. HAVE US A LITTLE FAMILY REUNION OF SORTS.

HEY, MOMMA, HOW ARE YOU FEELING?

NHHHH!!

NIGHTY-NIGHT, COUSIN ROBERT.

BUT YER DEAD! WE KILLED... YOU. YER DE-

YOU ALWAYS WERE A MOMMA'S BOY, ROBERT.

I WONDER WHAT MOMMA WOULD THINK IF SHE KNEW WHAT YOU REALLY WERE.

SEE, I GOT A LETTER RIGHT HERE AND IT MIGHT BE AN EYE-OPENER TO OLD MOMMA.

MAYBE WE'LL JUST LET HER READ IT.

NUHHH! NUHHHH!

READ IT, AUNTY.

READ IT OR SO HELP ME I'LL PLUCK YER FUCKIN' EYES OUT!

EVERY LINE.

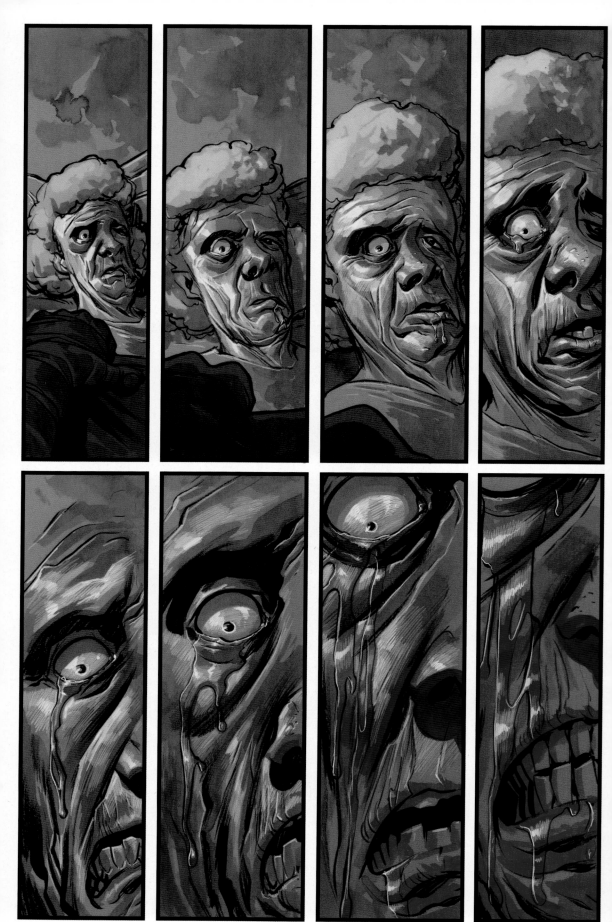

NOW SEE THAT LOOK, COUSIN, THAT IS THE LOOK OF A MOTHER WITH TOTAL DISAPPOINTMENT IN HER SON.

THAT IS A LOOK I SAW MY WHOLE CHILDHOOD. I WANTED YOU TO SEE IT BEFORE YOU DIED.

I UNDERSTAND THE TEARS. THE LOVE OF A PARENT IS IMPORTANT. MY PAPA LOVED ME. AND I LOVED HIM RIGHT BACK.

HE WAS THE ONLY GOOD MAN I'VE EVER KNOWN. I WAS DEVASTATED AT HIS FUNERAL.

BUT YOU KNOW WHAT I REMEMBER FROM THAT HORRIBLE DAY? YOU KNOW WHAT HAS BEEN BURNED IN MY BRAIN ALL THESE YEARS?

YOU PLAYING WITH THAT GODDAMN AIRPLANE. NOT A CARE IN THE WORLD.

YOU COULDN'T EVEN SHOW HIM A LITTLE BIT OF RESPECT...

BECAUSE YOU WERE TOO BUSY PLAYING WITH THAT GODDAMN AIRPLANE!!!

KRAK!

HELLO, BOYS. WHAT DO YOU SAY WE GO VISIT AN OLD FRIEND?

ROBERT?

ROBERT?

PART FOUR

IT WAS ALL IN HER LETTER.

EVERY GODDAMN THING YOU THREE MONSTERS DID.

HA! YOU CALLIN' ME A MONSTER? LOOK AT YOU, YOU MURDERIN' LITTLE TWISTED FUCK!

WHACK JOB JUST LIKE YER OLD MAN. STUPID CRAZY BASTARD KILLED HIMSELF. WHY DON'T YOU FOLLOW SUIT, DO THE WORLD A FAVOR, AND EAT A BULLET. BEST THING FOR A DEFORM LIKE YOU. FOLLOW YOUR CRAZY ASS DADDY RIGHT TO HELL.

MY PAPA... WAS A GREAT OLD MAN!!

I FEEL THE VIBRATION OF HIS SCREAMS BUT I CAN'T HEAR HIM. I CAN'T HEAR ANYTHING BUT THE POUNDING OF MY OWN BLOOD IN MY EARS.

AND HER VOICE. I CAN ALWAYS HEAR HER VOICE.

I'LL ALWAYS REMEMBER HOLLY'S VOICE.

I'M SORRY FOR YOUR LOSS.

THANK YOU, HOLLY.

LOOK AT THAT KID!

HEAD LIKE A WATERMELON AND LEGS LIKE A CHICKEN!

OH, SHUT UP!

YOU SHUT UP, HOLLY! YOU AIN'T NOTHIN' BUT WHITE TRASH THAT GOT NO BETTER FRIENDS THAN A MIDGET NO HOW!

DON'T LISTEN TO WHAT THOSE ASSHOLES SAY. HIS MA MADE IT WITH HER OWN BROTHERS AND THAT'S WHY HE LOOKS LIKE A SAD TURNIP.

Holly

IT'S HARD TO GET A PAIR OF PLIERS UNDER A FINGER NAIL.

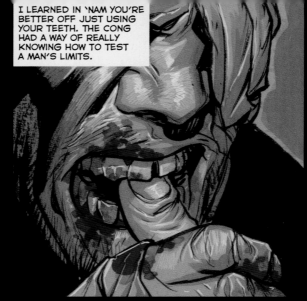

I LEARNED IN 'NAM YOU'RE BETTER OFF JUST USING YOUR TEETH. THE CONG HAD A WAY OF REALLY KNOWING HOW TO TEST A MAN'S LIMITS.

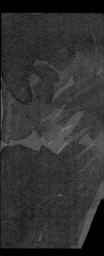

STAND TALL!
Let the Army make a man of you!

AMAZING WHAT YOU CAN DO WITH RUDIMENTARY MEDICAL KNOWLEDGE AND A CATHETER. AFTER I TOOK HIS MANHOOD AND MADE HIM A LIVING KEN DOLL, HE WAS IN A CONFESSING MOOD.

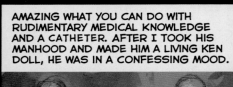

PRETTY NIFTY PISS BAG, HUH, FRANK? YOU CAN FIND GREAT SHIT IN A NURSING HOME. CATHETERS, PISS BAGS, PRESCRIPTION SEDATIVES.

I CONFESS! I CONFESS! OH, LORD, PLEASE HELP ME! I CONFESS!

LIAR!

THE BAG WAS TO COLLECT HIS DRIBLINGS. I DON'T CARE FOR STEPPING IN PISS WHILE I'M WORKING.

I AIN'T YOUR CONFESSOR, FRANK, I'M YOUR COMEUPPANCE.

I... I ARRESTED THEM TWO QUEER BOYS AND... AND--

YES?

THEY... THEY ACCIDENTALLY DIED IN MY JAIL AND I TRIED TO COVER IT UP!

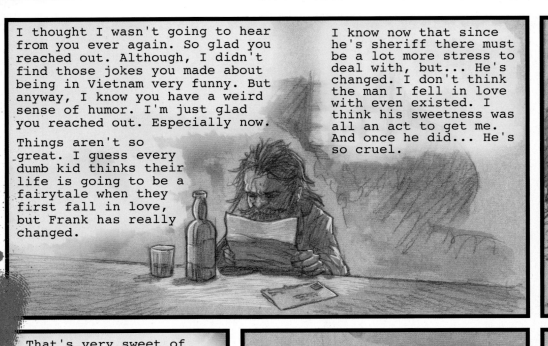

I thought I wasn't going to hear from you ever again. So glad you reached out. Although, I didn't find those jokes you made about being in Vietnam very funny. But anyway, I know you have a weird sense of humor. I'm just glad you reached out. Especially now.

Things aren't so great. I guess every dumb kid thinks their life is going to be a fairytale when they first fall in love, but Frank has really changed.

I know now that since he's sheriff there must be a lot more stress to deal with, but... He's changed. I don't think the man I fell in love with even existed. I think his sweetness was all an act to get me. And once he did... He's so cruel.

That's very sweet of you, but what are you supposed to do? He's a sheriff, a powerful man in a small town. I love you and you're my best friend, but you're just a little man. I don't want you to get hurt. You can't help me.

I'M BUYING YOU A DRINK.

WHAT MAKES YOU THINK YOU CAN BUY ME A DRINK, SHORTY?

BECAUSE I NEED TO HAVE A DRINK WITH A LADY TONIGHT AND SOMETHING TELLS ME YOU AIN'T BEEN TREATED LIKE A REAL LADY IN A LONG TIME.

FUNNY. THAT AIN'T THE WAY I REMEMBER THAT PLAY GOIN'. THAT IT? YOU BOYS A COUPLE OF ACTORS?

TOP ME OFF.

THAT'S WHAT'S SCARY ABOUT "ACTORS." THEY COULD BE ANYBODY.

YOU'D EXPECT THIS ONE TO HAVE NO DECENCY. BUT THAT WHITE BOY SHOULD KNOW BETTER.

WHAT'D YOU SAY TO ME, BOY?! WHAT THE FUCK DID YOU JUST SAY?!

LET'S JUST SEE HOW GOOD IT IS. GET OVER HERE, BOY, AND PUT THIS IN YER MOUTH!

HA! HA! YEAH, FRANK! MAKE THAT QUEER SUCK YOUR DICK!

I WON'T!

WE'RE THE ONLY LAW THERE IS HERE. YOU BOYS WENT BUTT FUCKIN' IN THE WRONG GODDAMN COUNTY. YOU DO WHAT HE SAYS IF YOU WANT TO WALK OUT OF THIS JAIL IN THE MORNIN'.

SLOPPY BOY. YOU GOT LOW STANDARDS IF THIS IS WHAT TURNS YER CRANK.

I THINK THAT FAIRY LIKES WATCHIN' HIS BOY GIVE HEAD.

I THINK WE BEST GO IN THERE AND LET HIM JOIN THE PARTY.

I THINK YOU'RE RIGHT. IF YOU CLOSE YOUR EYES YOU CAN PRETEND IT'S PUSSY.

MAYBE THAT BOY JUST SUCKS A MEAN DICK?! HA! I BET HE DOES! BET THEM LIPS SUCK THE CHROME OFF A TRAILER HITCH!

THAT IT, YOU RACE TRAITOR? THAT DARKY POLISH YOUR KNOB SO GOOD NIGHTLY, YOU TURN HEATHEN?

FUCK YOU!

DON'T! THEY'RE DRUNK!

GET OVER HERE AND DO WHAT YOU DO BEST OR I'M GONNA PUT A BULLET IN YOUR BOYFRIEND'S HEAD!

HA! HE'S DOIN' IT! HE'S ACTUALLY DOIN' IT!

HA! HA! YEAH, RIGHT! IT'LL FEEL JUST LIKE PUSSY!

DON'T YOU DROOL ON MY SHOES, BITCH.

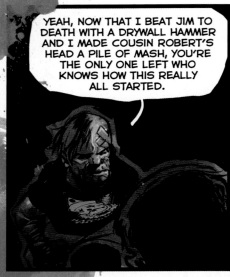

YEAH, NOW THAT I BEAT JIM TO DEATH WITH A DRYWALL HAMMER AND I MADE COUSIN ROBERT'S HEAD A PILE OF MASH, YOU'RE THE ONLY ONE LEFT WHO KNOWS HOW THIS REALLY ALL STARTED.

BUT HOLLY FILLED ME IN ON THE REST.

I have to tell someone. Frank doesn't know that I'm still in contact with you. That's the only reason I'm sending you this. I'm so sorry to put this burden on you, but my conscience won't allow me to keep this secret.

I was bringing them coffee.

My god, I didn't want to believe my eyes. I didn't want it to be real. But I saw it. I saw them beating and sodomizing those poor boys.

I'M SORRY.

IT'S NOT YOUR FAULT.

WE'RE GONNA DIE BECAUSE I ASKED YOU TO COME OUT THERE WITH ME.

IT'S NOT YOUR FAULT! JUST DO WHAT THEY SAY AND THEY'LL LET US GO.

IS THAT RIGHT?

YOU MURDERING MOTHER FUCKERS!

BLAM!

FUN IS FUN, BUT GODDAMN IT, FRANK, WHAT ARE WE SUPPOSED TO DO WITH A COUPLE OF DEAD KIDS?!

EVERYBODY JUST KEEPS THEIR FUCKIN' MOUTH SHUT AND EVERYTHING WILL BE FINE. AIN'T NOBODY GONNA MISS A COUPLE OF QUEERS.

HEY FELLAS, BROUGHT SOMETHING TO HELP GET YOU THROUGH THE ALL NIGHTER.

HEY, YOU HERE?

HELLO?

YEAH, TAKE IT! YOU LIKE IT IN THAT ASS, DON'T YA?!

YOU KNOW WE AIN'T GONNA TALK BECAUSE OF WHAT WE ARE. BUT YOU AIN'T GONNA KILL US, YOU FUCKIN' CRACKER!

YOU DON'T TELL ME WHAT I WILL AND WON'T DO, YOU DICK SUCKIN' LITTLE BITCH!

JESUS, FRANK!! OH, JESUS!!

FUCK!

BLAM!

ROBERT, BACK YOUR PATROL CAR UP TO THE BACK DOOR. WE'LL THROW THESE TWO IN THE TRUNK AND BURY 'EM UNDER THE RAIL BRIDGE.

KREEEK

WHAT WAS THAT?

I ran.

I try my best to act like everything is normal. But I can tell he knows.

I'm scared. I know him. I know what he'd do to me if he thought I'd talk.

YOU PROBABLY THINK THIS IS THE PART WHERE I KILL YOU.

AS I LOBOTOMIZE HIM WITH THE ICE PICK... THAT SCREAM I DO HEAR.

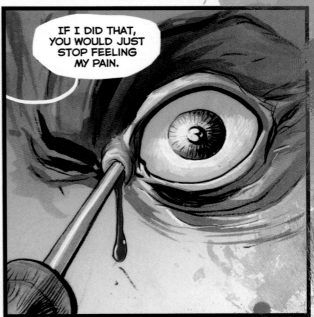

LA COMMEDIA è FINITA

The following short was done for
the Comic Book Legal Defense
Fund's Liberty Annual.

COVER GALLERY

LEE BERMEJO

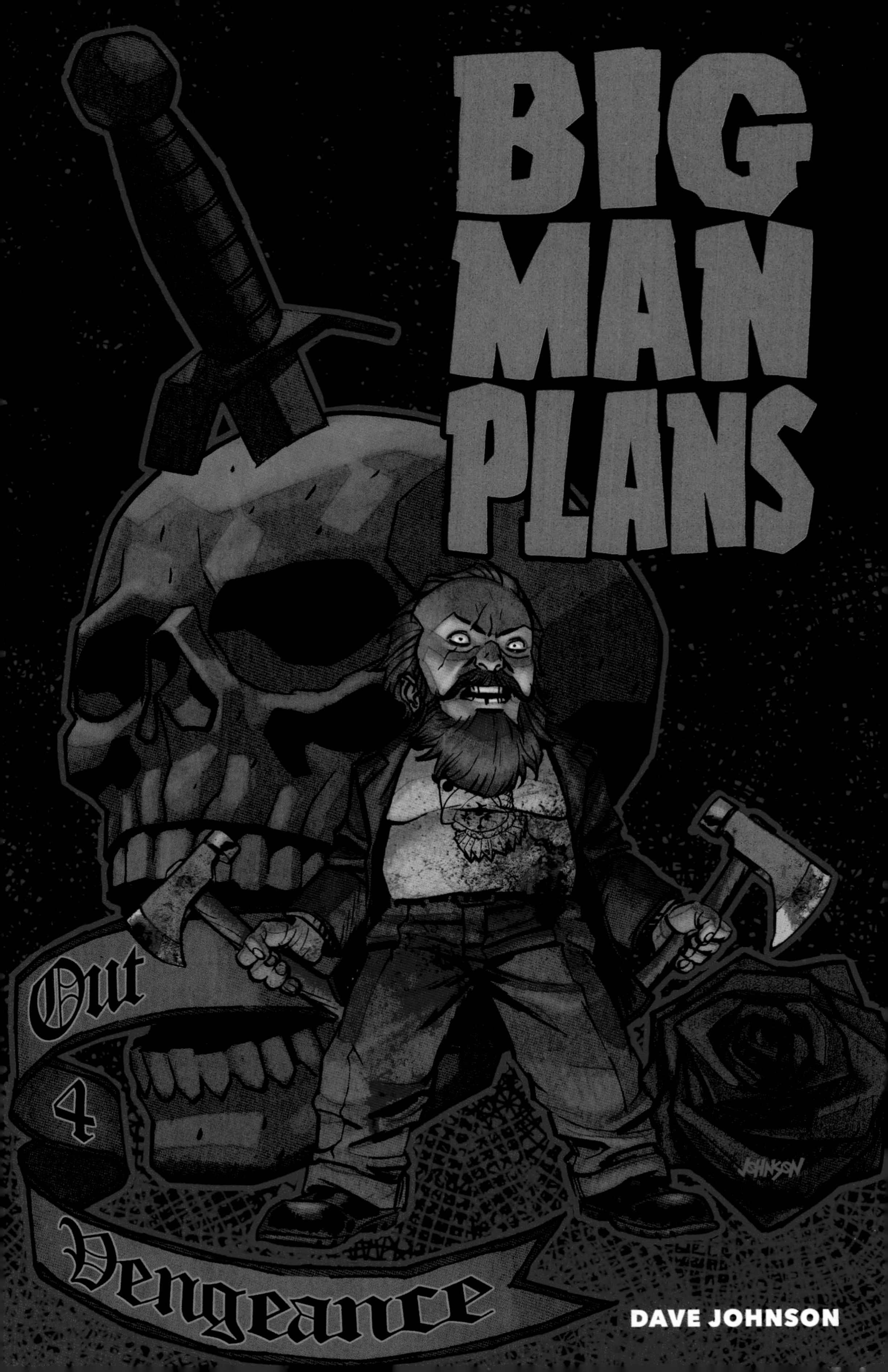
BIG MAN PLANS
Out 4 Vengeance
JOHNSON
DAVE JOHNSON

GEOF DARROW

BIG MAN PLANS

Eric
Powell
-14

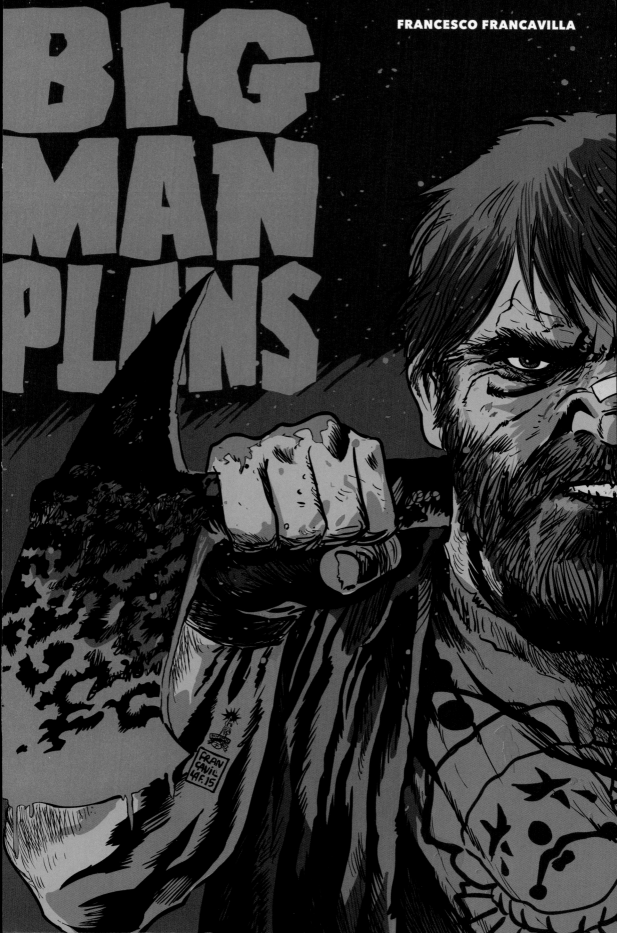

So when we become the self help guru's we're destined to be I'm going to open a go kart track with all little batmobiles. That serves whiskey. #bigmanplans

As long as my go kart is a tiny A-Team van. I'm going to get tacos and drink several beers at North Bar now. I will be blotto by the time you get there. #bigmanplans

Read 2:01 PM

To the bar! #bigmanplans #raedawnchong

SKETCHBOOK

So this text exchange between Tim Wiesch and I is where it all started. During a period in 2012 when I was living as a vagabond I spent a month sleeping in Tim's Basement. Most of my time was spent drinking, so being the kind of friend Tim is, most of Tim's time was spent drinking. The Hashtag #bigmanplans became a running joke between us describing our various schemes and exploits we would have when we got fuck you money. However, Big Man grew in our drunken conversations until it came to symbolize a fictitious guy that hung out in the bar. A marginalized individual who would fuck you up if you crossed him. A Vietnam vet that saw some real shit, man. This pretend patron started to grow and become so layered in our drunken ramblings that Big Man Plans wound itself into a story that the both of us felt was too good to not tell. It may be easy to see that this story grew from a dark period in my life, but it also grew from friendship. As bleak and harsh as this book is, it is a reminder to me of the soul saving drunken nights I had with my buddy Tim in the North Bar in Portland Oregon. I will always look back on those times with fond memories.

Here are some sketches and drawings from when we were developing the book. We hope you enjoy them.

Ya know, I still don't know what the Rae Dawn Chong thing was about.

-Eric Powell
Nashville, Tennessee
October 26 2015

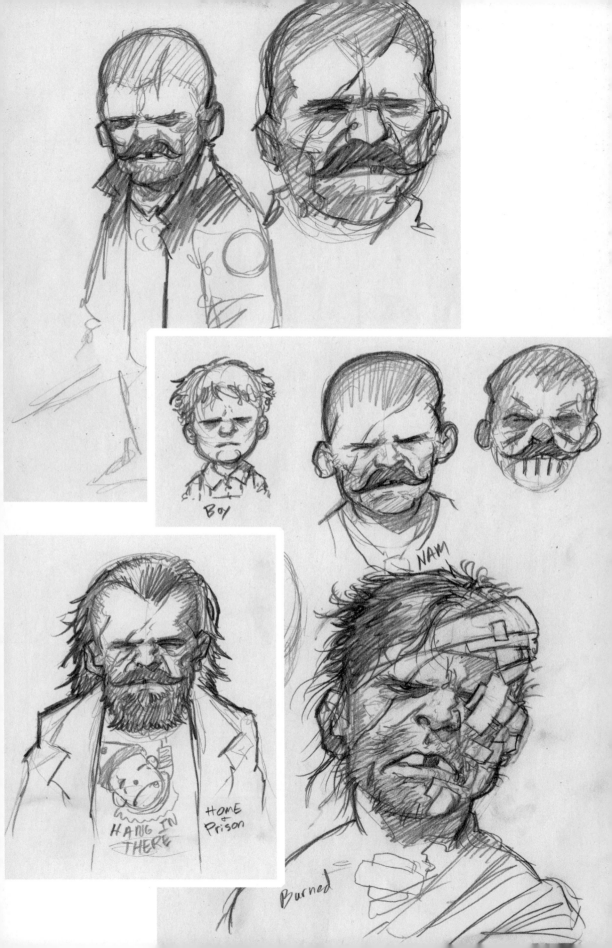

BOY

NAM

HANG IN THERE

HOME + Prison

Burned

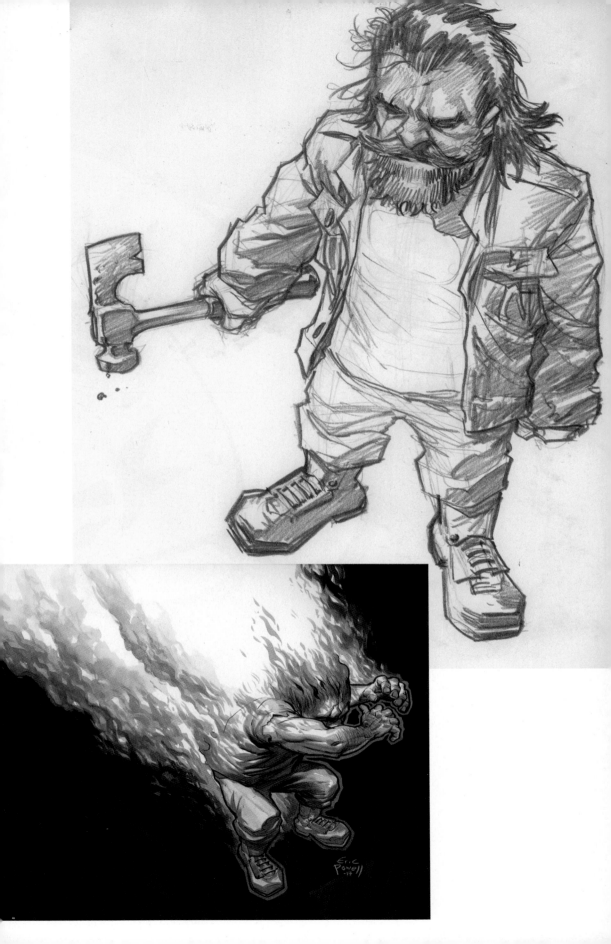